scripto

Titre original :
Stop in the name of parts !
Édition originale publiée par
HarperCollins*Children'sBooks*, Londres, 2008
HarperCollins*Children'sBooks* is an imprint
of HarperCollins*Publishers* Ltd
© Louise Rennison, 2008, pour le texte
© Éditions Gallimard Jeunesse, 2009, pour la traduction française

Louise Rennison

Traduit de l'anglais par Catherine Gibert

LE JOURNAL INTIME DE GEORGIA NICOLSON

Gallimard

Le coup passa si près que le félidé fit un écart, *ma dernière œuvre, fourrée au génie, est dédiée tout particulièrement à mes poteaux absents, qui se sont fait la valise à la mode égoïste dans le but de se divertir (*le positif, *vous savez très bien de qui je veux dégoiser : Jeddbox* und *Elton).*

Ainsi qu'aux poteaux absents sans être absents pour de vrai, étant octroyé qu'ils rôdent de-ci und *de-là, en faisant les quidams absents.*

PERDUE EN FUTAIE
DU ROSISSEMENT POPOTAL

Désastre campinguesque

23 h 30 Retour à la case tente perso de la honte.

Le reliquat de mes soi-disant potesses est toujours de gambade parmi les végétaux en gente compagnie, alors que mézigue réintègre le camp de base telle la Comanche seulabre. J'esgourde du ronflement secouer la cambuse de toile de la Mère Wilson, de concert *mit* celle de Herr Kamyer. À tous les ramponneaux, la délégation de campagnols va débarquer sur zone dans le dessein de se plaindre du raffut à fort taux d'empêchement de dormir.

23 h 32 Pas plus tard que tout de suite, je m'en vais balancer le voile pudique sur l'événement récent et me glisser en sac de couchage douillet. Sur sol douillet. Erreur. Autant sommeiller sur la planche à repasser. Ce que j'expérimentai par le passé *und* par le fait.

23 h 33 Je déclarai jadis à qui voulait l'auditionner que l'excursion campinguesque figurerait au tableau d'honneur de l'imposture calamiteuse. Je ne m'étais pas fourré le didi dans la mirette.

23 h 34 Je dégoiserais même plus « pas fourré ».

23 h 35 Je me demande ce que fricote le Top Gang à l'heure de maintenant.

23 h 36 De toutes les manières, le primordial est que je suis estampillée copine officielle d'un Sublimo. Conséquemment, j'ai remisé le rosissement popotal d'une paluche de zinc. Plus jamais je n'errerai seulabre chez la marchande de gâteaux fourrés à l'amuuuuuuuuuuuur. Ni ne me laisserai tenter par l'éclair, la bavaroise, le fondant *und tutti quanti*. Sans omettre la religieuse, le baba... Tais-toi, cervelet !

23 h 37 Or donc, comment se fait-ce que, arborant le statut susnommé, qui m'interdit définitivement l'entrée de la susmentionnée marchande de gâteaux, je me retrouve en séance bécot avec Dave la Marrade ?

Plus connu sous le blaze de Dave la Bavaroise.

Deux minutes après Nom d'un bec-croisé des sapins en RTT. Zieutons le bécot en face. Il ne s'agissait pas du spécimen à caractère potesque, style pas-de-quoi-fouetter-un-félidé-pour-un-pauvre-bécot-entre-poteaux-survenu-par-le-truchement-de-l'inadvertance.

Levons l'ambiguïté et cessons de tourner autour de

la cruche, ledit bécot n'était ni plus ni moins que du bécot véridique, cent pour cent bécot.

Trente secondes après En vérité, je vous le bla-blate, le bécot station-nait franco en numéro quatre, *mit* lichette de numéro cinq.

Quatre secondes après De toutes les façons, tais-toi, cerveau, la réflexion est de mise. L'heure n'est point au battage de campagne, mais à la cessation ferme et définitive du bécot *mit* Dave la Marrade, mon non-gus de compagnie.

Une minute après Si on va par là, je suis limite l'épousée d'un Sublimo.

Dix secondes après Si on retourne par là, le Transalpin est limite sur le point de me demander en noces.

Cinq secondes après Le fait est que Scooterino s'est trissé au Pays-de-la-Mozzarella-et-Tomates-à-la, laissant bibi se débrouiller seule en perfide Albion, obligée à une niaise excursion campinguesque sous la houlette de déments certifiés (la Mère Wilson et Herr Kamyer).

Il m'a comme qui dirait abandonnée sur le sol grand-britton, livrée sans défense à une errance en jungle, au sud de Londres, à des milliards de kilomètres de la première échoppe de frusques.

Trois secondes après Et quelqu'un peut me dire au juste ce que j'y peux si Dave la Marrade creuse le sillon sous ma tente ? Car il se trouve qu'il creuse. Tel est le fait.

Je m'installe confo sous un vieux bout d'imper mité (plus connu sous le blaze de sac de couchage, comme dirait Jas en mode c'est-dingue-ce-que-la nature-est-poilogène !). Bref, où en étais-je ? Ah oui, je m'installe confo en ébauche de soirée après une journée palpitante consacrée au croquis de vermisseau quand soudain j'esgourde du tapement en mur de tente. Je songe illico à l'attaque de chouette, mais point. C'est Dave la Marrade *und* bataillon givré (Tom, Declan, Sven et Edward) qui nous attirent en tente perso et en nous faisant miroiter de la denrée alimentaire, assortie du divertissement de choix.

Quatre secondes après Je rejette la totale faute sur l'échine de la Marrade. Sézigue et mézigue sommes poteaux attestés *mit* gus et gussette de compagnie officiels à la clef et à chaque étage. Point et virgule. Or point. Voilà que l'expert en rigolade déboule en campagne à la recherche de ma personne, l'allumage en bandoulière.

La compagnie fôlatre gaiement en tente de gus quand la Marrade *und* moi-même nous esquivons en vue de la promenade innocente en futaie. Comme il est d'usage entre poteaux. Mais voilà que je me coince le nougat dans un trou de blaireau ou va savoir quel mammifère et me prends le gadin en rivière *und* en arrière. Tout ça pour discourir que la Marrade se gondole tel l'accordéon avant de me passer l'abattis en tour de taille afin de me haler jusqu'à la rive.

Moi :
— Si ça se trouve, j'ai chopé la fracture de popotin.

La Marrade *mit* sourire de forte intensité :

– Et puis *fluctuat nec mergitur*, la chose doit être faite.

Et il me décoche le bécot !

À l'issue du susdit, je repousse l'expert *mit* zieutage sombre.

Lui :

– Quoi ?

Mézigue :

– Tu es au parfum du quoi. Alors, ne me sers pas du quoi de la sorte.

– De la sorte de quoi ?

Moi, le volume de dignitosité poussé au max :

– Je te ferais dire que tu m'ensorcelas par le truchement de la ruse et de… la mimique.

– Et je te ferais dire que tu ne t'es pas fait prier pour me suivre en tente *und* en pleine nuit dans le dessein de me dérober à ma promise.

– Je songe ou c'est tézigue qui m'as bécotée ?

La Marrade me lance le zieutage, panaché soupir :

– Je sais et ne ressens pas la fierté à ce propos. Je ne suis pas… Bref, tu en as l'us.

J'ai la caboche en frisette d'implosion.

– L'us de quoi ?

L'ire gagne l'expert et par voie de conséquence plonge bibi en malaise. Ce n'est pas la première fois que la Marrade me déploie le courroux. D'habituel, je n'apprécie guère le dégoisage qui s'ensuit.

Lui :

– Je te ferais dire que tu initias le syndrome allumage pas plus tôt qu'au siècle dernier, dont ci-devant chronologie : usage de bibi comme chèvre pour appâter Super-Canon, roucoulade officielle avec le susnommé, paiement d'intermède batifolage *mit* mézigue, sortie en justes noces avec Scooterino et aveu de tourneboulement massif à ma personne en bouquet final.

Dans l'incapacité de m'exprimer, je mate le gus, la mirette au bord de la mouillure. Si ça se trouve, je vais cumuler la double humidité des extrémités.

Aussitôt dit, aussitôt mouillé, j'ai le robinet à chouinade ouvert en grand. Obligée de chasser la larme par le biais du clignement de globe oculaire. La Marrade persiste en mode zieutage alors que j'ignore la nature de sa réflexion. À toutes les baffes, il en a soupé de moi et ressent la haine de première pression à froid à mon endroit.

Soudain, il se trisse, me laissant seulabre pour affronter la futaie obscure de ma hontosité, assortie remontrance du petit Jésus.

Dix secondes après J'ignore total où crèche la tente.

Le végétal me met le trouillomètre à zéro et le grognement est de mise en fourré. Si ça se trouve, c'est le goret farceur en goguette, lassé de la vie en ferme, *mit* derme de patate à tous les repas et pas le moindre institut du popo perso à disposition. En souhait de changement de menu, il s'est trissé en nuitée et en escaladant la clôture de la porcherie. À moins que le goret ne soit tel le prisonnier de guerre de l'antique pellicule dont Vati me rebat les esgourdes, *La Grande Évasion*, style à creuser le tunnel sous la grille de la geôle.

Je mettrais ma paluche à tondre qu'il s'est fait la belle par la médiation du creusement.

Rebelote au rayon grognement.

À tous les bourre-pifs, le goret souffre de la faim, rêvant de sauter sur le premier bout de sustentation venu. Une supposition qu'il tombe sur mézigue, une certitude qu'il me prend pour ce que je le prends, de la côtelette. Qui plus est en jupette *und* couvre-fesses imbibé, en ce qui me concerne. En jungle, le pied de cochon n'est pas celui qu'on croit.

Tentée par l'ascension du végétal, je suis.

Le goret maîtrise-t-il la varappe du susnommé ?

Maîtrise-je ladite ?

Oh, Notre Seigneur, épargnez-moi le décès par goret !

Rapprochement du grognement, suivi du décampement d'une créature noiraude de petit format et de sous l'arbuste. Le campagnol ! Quelqu'un peut me dire à combien se monte la production de raffut du rongeur ? À beaucoup, telle est la réponse.

Je ferais mieux de faire potesse-potesse avec la bestiole car, vu la chance qui me caractérise, je risque l'enlèvement par campagnol interposé, conjugué rééducation en vue de me faire intégrer la communauté campagnolesque. De l'autre genou, j'échapperais au face-à-face hontogène *mit* mon rosissement popotal et consacrerais le reliquat de mon existence au creusage, léchage de pilosité *und* jouissance de solitude de premier isolement.

Tel que présentement.

Quand la Marrade déboule devant ma personne dans le noir ! Je pique le galop en direction de sézigue *mit* déclenchement simultané de la pompe à chouinade.

L'expert me serrant dans ses abattis :

– Je te présente le pardon, Super-Coquine. La bile, ne te fais pas. Coupe le robinet sinon tu risques l'expansion de tarin et le cassage de binette sous le poids de tes nunga-nungas. Or, je ne suis pas équipé pour ramener tout ce beau monde en cambuse.

À l'heure de tout de suite, la futaie dégage l'attrait. La lune est visible parmi les végétaux et le hoquet m'a quittée. L'expert me décoche la risette assortie caresse de perruque. Oooooooooooooooh, il est trognon.

La Marrade :

– On n'a jamais donné dans l'explication de texte à base d'amuuuuuuuuur, conséquemment plus nuls que la nullité nous sommes au chapitre susnommé. Je confesse le sentiment de pas bien à l'égard d'Emma. Nonobstant tézigue n'y es pour couic. La faute est mienne. Remisons le syndrome allumage et renfilons notre vêture de poteaux, certifiés poteaux. Allez, haut les battants, Gee! Déploie la rouerie à mon endroit, la normalité sera alors de mise. De toutes les manières, tu me bottes, tu m'as toujours botté et me botteras jusqu'à plus soif.

Je ravale la larme et lui expectore le sourire intrépide, quoique pas très stable sur ses gambettes, nonobstant truffé à l'ensorcellement. La narine tenue d'une pogne de cuivre, histoire d'éviter l'étalement de naseau à foison sur l'ensemble facial. En reprise de marche, j'entends du gargouillis monter de ma zone culottale perso. Avec un peu de chance, le susdit gargouillis couvre le boucan du campagnol (limite sur le point d'être mon parent adoptif).

L'expert :

– Tu n'émettrais pas du gargouillis de couvre-fesses?

Changement obligatoire de sous-vêtement dès retour au bercail. Ce n'est pas l'heure de choper de la pneumonie de fondement.

La gambade se poursuit de concert parmi les végétaux, éclairés à la grosse chose jaune lumineuse. Ne vous méprenez pas, la banane géante iridescente n'a pas fait son apparition. Note, j'aurais adoré.

Soudain, l'horreur fait à nouveau irruption. Le bruit hideux se fait esgourder sur notre gauche…

– Tom, Tom, par ici! J'ai trouvé de la déjection de chouette.

Trop bien, Jas, plus connue sous le blaze de sage femme de la futaie, est en vicinalité. La Marrade retire aussi sec son abattis de mon épaule. Je lève la mirette vers sézigue. Il baisse la sienne vers mézigue et me pose le bécot en embouchure *mit* un max de douceur.

– Fin de la partie, Super-Coquine. Convole avec ton gus de compagnie transalpin, néanmoins homosexualiste, et zieute comment vogue la noce. Quant à mézigue, je déploierai l'effort en vue d'être le poteau de première catégorie *mit* tézigue. Épargne-moi le compte rendu de tes épousailles mozzarella, je le goûterai peu. Cela dégoisé, gardons par-devers nous nos déploiements de rosissement popotal survenant par le truchement du pas-exprès.

Moi *mit* risette :

– Dave, je…

– *Le quoi ?*

– J'ai de la visite en culotte.

Minuit Retour au QG de la siphonnitude, autrement dit le camp de base de l'excursion campinguesque scolaire. En vue d'un changement de couvre-fesses.

Minuit dix Mézigue au petit Jésus :

– Je confesse le comportement inadéquat dont je requiers le pardon du fond du battant et Vous dédie le remerciement pour ne pas m'en avoir tenu rigueur, en me fourrant la culotte au têtard.

Dimanche 21 juillet

11 h 00 Je le déclare sans ambages, la pliure de tente est nettement plus aisée que la dépliure, *mit* bibi au retirage de sardines *und* Rosie et Jools au jeter

13

à bas de mâts. Trop *le dommage*, la tente refuse de réintégrer son sac. Obligées de la réduire au ballot.

A contrario, Jas et ses poteaux de la futaie, Herr Kamyer et la Mère Wilson, perdent trois millions d'années en plissement, rangement en pochettes et autres fadaises du matériel campinguesque.

Dix minutes après Roro, Jools et mézigue introduisons le ballot tentesque en coffre de car et grimpons à bord du véhicule sans se faire repérer par le Père Attwood. Si nous échappons à l'enquête nazie, mâtinée fouille au corps, c'est que le gardien irascible sommeille, la caboche écrasée sur le volant, la casquette tirée sur le faciès, tel le volet.

Rosie :

– L'homme conduit également de la sorte.

La potesse dégoise le vrai, au vu du périple de retour cauchemardesque.

Vingt minutes après La cantonade est en sieste sous le tas de manteaux, quand Jas, sainte patronne des grands radotants, déboule en car. Je suis au jus car Miss Frangette se rue en fond de véhicule et me secoue l'épaule *mit* force vigueur. Je lui balance l'œillade. La copine est plus rouge que le carmin, tendance incarnat.

Moi :

– Au cas où tu ne l'aurais pas remarqué, je m'essaye au repos.

– Tu n'as pas replié ta tente correctement !

– Je te présente l'excuse. La police tentesque est-elle sur les lieux ?

– Tu t'es contentée de la rouler en boule et de la fourrer dans le coffre. On a été obligés de la sortir et de la replier pour faire entrer les nôtres !

– Certes, Jasounette, mais comme tu le zieutes, je suis méga, méga occupée.

– Décidément, tu dégages le trop-plein d'égoïsme et de relâchement réunis. Voilà pourquoi tu as la tonne de gus de compagnie, dont pas un ne restera avec tézigue.

Sur ces entre-fêtes, Miss Frangette file telle la bise à l'avant, rejoindre ses meilleurs poteaux, c'est-à-blablater : la Mère Wilson *und* Herr Kamyer.

Notre Seigneur, que la fille est irritante ! *Le trop bien,* personne ne l'a esgourdée débiter ses billevesées à base de tonne de gus de compagnie. À ce propos, je me demande si la gent masculine a déjà regagné ses pénates.

Cinq minutes après Lever du germanophile avec prise de parole :

– Puiche afoir votre attenzion, mesdemoizelles ?

Toute une chacune poursuivant sa converse comme si de couic n'était, Herr Kamyer tape dans sa mimine, tirant le Père Attwood des abattis de Morphée.

Le gardien irascible :

– Il est l'heure de partir.

L'expert en kneudel :

– *Ja, ja, danke schön, Herr* chauffeur, mais d'abord che dois férifier que toutes zes demoizelles zont prézentes…

Sur ce, le gardien appuie comme un malentendant sur le champignon, projetant Herr Kamyer en rotule de la Mère Wilson par le biais du triple salto arrière.

Une vision traumatogène.

Zieutage collectif du couple de tourtereaux gagnant des sphères de la rubéfaction jamais atteintes sous nos latitudes.

Herr Kamyer tente le lever, mais Siphonné Ier conduisant le véhicule *mit* violence farcie à la sauvagerie, le germanophile rechute en rotule de la Mère Wilson à qui mieux mieux.

Lui :

– *Ach*, che fous demande pardon…

La Mère Wilson :

– Je vous en prie. Le plaisir est…

Contraint par voie de feu rouge, le gardien finit par s'arrêter et Herr Kamyer en profite pour transhumer vers son siège perso, faisant l'homme passionné par sa collection de mites. La Mère Wilson sort illico son tricot, mais darde l'œillade permanente sur le germanophone.

Moi à Rosie :

– Ne pas oublier que Herr Kamyer fut le témoin de l'effondrement de l'Abjecte Pamela Green sur la tente à ablutions, permettant à l'humanité tout entière, dont sézigue, d'admirer la Mère Wilson en nettoyage de sa personne et en totale nudité.

J'envisage la rechute de sieste quand Ellen revient à l'existence par l'intercession du n'importe quoi.

– Euh, Georgia… Tu sais quand Jas a dit que… bon, ben, quand elle a dit que tu… tu avais la tonne de gus de compagnie ou je ne sais quoi. Je veux dire c'est vrai ou je ne sais quoi ?

Rosie :

– Diantre, Ellen ! Il va sans dégoiser que Gee n'a pas la tonne de gus de compagnie, sinon elle en serait recouverte.

Ellen :

– Ben, je sais, mais, ben, je veux dire, elle ne sort avec personne d'autre que Scooterino, alors si on va par là… ben…

Mabs :

– Scooterino… et le reste.

Mézigue à Mabs :

– D'aucune t'a sonnée ?

Mabs :

– Je ne faisais couic que mentionner la dimension la Marrade.

Ellen en redressement de sa personne :

– Quelle dimension la Marrade ?

Nom d'un bruant mélanocéphale sûr de son fait ! Nous revoilà en partance pour la marchande de gâteaux fourrés à l'amuuuuuuuuuuur. Obligée de trucider le débat dans l'œuf.

Bibi :

– Au fait, Ellen, où tu en es question bécot *mit* Declan ? Et à quel numéro sur l'échelle du êtes-vous rendus ?

La copine semble avoir avalé la chaussette fourrée au popo de campagnol. Ce qui ne la met pas franchement à son avantage.

– Ben, je... ben, tu sais, je, ben, d'après toi, je l'ai bécoté ?

– Une supposition que tu répondes à la question de ton vivant, une certitude du trop bien à l'arrivée.

Comme par hasard, la fille ressent soudain le besoin urgent de son sweater, qui se trouve comme par un fait expert dans le sac à échine de Jasounette, et se trisse en vue de poser séant à côté de la susdite. Hahhhahahahahahahha. Je suis ni plus ni moins que la reine de la diversion.

16 h 00 Dépôt de votre serviteuse en bas de venelle.

Par l'entremise du miracle, notre « chauffeur » et néanmoins gardien de collège irascible, Elvis Attwood, ramène toute une chacune à bon port *und* en possession de la totalité de ses abattis. L'homme hait la fille.

À mon avis perso, la permission de conduite ne lui a

pas été délivrée. Après frôlement du trépas à une intersection, je demande poliment à Elvis de me montrer la susdite autorisation. Et sézigue ne trouve couic d'autre à me répondre que de me carapater plus vite que la lumière si je ne suis pas en volonté d'expérimenter le contact entre sa paluche et mon arrière-train. Des propos pour le moins déplacés dans l'appendice buccal d'un homme qui a défendu son pays contre l'invasion viking.

Mézigue à sézigue :

– Ces palabres sont indignes de vozigue, monsieur Attwood.

Deux minutes après Remontée d'allée de chez les secoués du plafonnier.

Moi en ouverture de porte :

– *Le bonjour*, la cantonade, faites rôtir le hamster gras, bibi est retour !

Deux minutes après Personne en cambuse.

Comme de juste.

Il faut qu'on m'explique pourquoi la parentèle délire à n'en plus finir quant au but de mes sorties et l'heure de mes retours, alors qu'il n'échappe à personne qu'elle s'en bat la mirette avec une patte de chenille.

En cuisine

Je décède de faim.

Couic en frigo, comme de bien entendu.

À moins de raffoler de la graine germée ayant pulvérisé la date de péremption depuis moche lurette.

Quatre minutes après En mangeaille de toast limite sur le point de passer à la phase moisissure. Miam. Pas impossible que je chope le scorbut par la médiation de l'absence notoire de vitamine C. J'ai la perruque sur les rotules. Si ça se trouve le Sublimo transalpin adore la fille à crinière boulottée aux mites.

Je me demande si le susdit m'a laissé le message bigophonique ?

Cinq minutes après Je regrette amèrement d'avoir prêté l'esgourde aux messages, ils offrent le panorama chocottogène s'il en fut de la vie que je suis contrainte de mener.

Pour commencer, je me fade la potesse gloussante de Mutti qui blablate qu'elle a rencontré un gus en soirée « rencontres » et pulvérisé le numéro six *mit* sézigue. Comment se fait-ce que la mère de famille soit au jus de l'échelle des trucs et des machins qu'on fait avec les garçons ? Mutti n'est ni plus ni moins que la génitrice avariée, doublée du canidé renifleur.

Pour suivre, je me tape la Mutti de Josh qui dégoise ce que voici : « Josh étant rentré à la maison avec une iroquoise, je préfère qu'il ne vienne plus jouer avec Libby. Je suis stupéfaite qu'une petite fille ait à disposition dans sa chambre un couteau à pain et des ciseaux. Par ailleurs, je ne parviens pas à retirer le maquillage bleu que mon fils a sur les paupières. Je suppose qu'il s'agit d'encre indélébile. Par conséquent, il va sans doute me falloir plusieurs heures avant d'effacer le mot "cucul" qui lui barre le front. »

S'ensuit du rab de jérémiades *und* sornettes d'où il ressort que Josh est interdit de jeu *mit* ma petite sœur, Libby.

Gott en *Himmel*.

Point et virgule. Point de message du Sublimo. Je vous ferais dire que le Transalpin totalise la semaine d'absence. Je me demande le *warum* de sa défectuosité de coup de bignou. Ne le botterais-je plus ?

Si ça se trouve, je me suis rendue coupable de l'agissement inapproprié lors de notre ultime entrevue.

Une minute après Nonobstant la susmentionnée fut trop crousti-fondante.

Une minute après Le gus s'exprima de la sorte : « On se plaît tous les deux. Ça va être génial, Miss Georgia. »

Une minute après Quelqu'un peut m'expliquer au juste pourquoi il ne me jacta pas ce que voici : « Je te passe le coup de grelot dès que j'arrive sur zone » ?

Une minute après Ou : « Je te régale de la place d'aéroplane pour Rome, ô tézigue, irrésistible Super-Coquine » ?

Dix minutes après Notre Seigneur, je me fais plus tartir que la tarte. Sans compter que j'ai l'arrière-train en capilotade pour cause d'effondrement en ru. Résultat des courses, je suis en incapacité de poser séant normalement.

Une minute après Je me demande si la Marrade compte mettre Emma au sent-bon de notre détour fortuit par le numéro quatre. La réponse est selon toute vraisemblance que nenni. Cela dégoisé, le bécot dégageait l'absence de sens et, comme discourait l'expert lui-même, nozigue avons renfilé nos oripeaux de poteaux, certifiés poteaux. Je débiterais même plus, ce qui se fricote en futaie demeure en futaie.

Trente secondes après Huuuuuuuuum. De l'autre nunga-nunga, le gus me déclara encore et en futaie que je le bottais. Si ça se trouve, je le botte à la mode poteau, certifié poteau.

Une minute après Suis-je en souhait de mettre Scooterino au jus ?

Une minute après Une supposition que le Transalpin ne me passe pas le coup de bigo, une certitude que la question de la mise au jus ne se pose plus. De toutes les manières, le bécot incriminé n'est jamais qu'un pauvre bécot de catégorie quatre *mit* frôlement en cinq et ne doit son existence qu'au pas exprès.

Une minute après L'occurrence pourrait se produire *mit* Scooterino *und* son ex. Quel est son blaze déjà ? Ah, oui, Gina. *Le positif.* Leurzigue pourraient être victimes du bécot accidentel, si d'aventure il se trouvait qu'elle se trouvait à Rome.

Une minute après Même en non-présence de la Ginette, je mettrais ma caboche à la tronçonneuse que le Transalpin et confrères traversent la Cité éternelle à dos de scooter, en décochant la risette en veux-tu en voilà aux premières filles venues, arborant le bikini rouge ou va savoir ce que l'autochtone vêt comme vêture.

À y cogiter, couic. La Transalpine se vomit sans

doute à son boulot en plus simple pas pareil, vu la sauvagerie conjuguée émancipation propre aux Mozzarella. Elle ne souffre pas de l'inhibition dont nozigue, Grandes-Brittonnes, sommes affligées et n'hésite pas à porter haut et fort les couleurs de son nunga-nunga indompté. À tous les coups.

En chambre et en contemplation de moi-même en miroir

Le seul appendice dont je porte haut et fort les couleurs est mon pif, auquel même la Marrade fit allusion.

Une minute après Si ça se trouve, mon tarin a pris des proportions surdimensionnées dans l'imaginaire de Scooterino au fil de sa semaine d'absence. Sachant que le gus ne dispose pas du cliché de ma personne lui permettant de se rappeler que sa copine officielle n'est ni plus ni moins qu'un blair sur pattes.

Cinq minutes après Si ça se trouve bis, le gus n'étant pas grand-britton, il possède la médiumnie. Si ça se trouve terce, il est comme qui dégoiserait le neveu de la Mère Soleil et conséquemment au courant de l'épisode la Marrade.

Une minute après À toutes les gifles, Jasounette lui a envoyé la chouette porteuse de message en vue de l'informer. Tout ça en raison de sa chiffonnade de premier chiffon à mon endroit, due à l'affaire tente. On prend les mêmes et on recommence.

En paddock de douleur

20 h 00 Je ne crois pas si bien dire. Angus, mon félidé perso (plus connu sous le blaze de machine à trucider), joue de mon nougat comme du léporidé. Résultat des courses, chaque fois que je tente le mouvement, le monstre me saute sur l'arpion, tel le cabri, en vue d'y planter la canine.

Sans compter que aïe et double aïe par le fait. Impossible de trouver la position confo exerçant la faible pression sur l'arrière-train. Si ça se trouve, je me suis brisé le bout d'anatomie en zone popotale. J'ignore ce que ladite recèle en la matière, nonobstant je le brisai. Je me demande si j'affiche de la bouffissure au chapitre fondement.

Sur ces entre-fêtes, j'esgourde le teuf-teuf du moteur surpuissant de la clownomobile de mon Vati. Extraction en douceur de mon postérieur, conjuguée coup de latte à Super-Matou dans le dessein de descendre l'escalier. Descente opérée, le félidé la quenotte toujours plantée en arpion-lapin de mézigue. Or, je vous ferais blablater qu'il se prend le coup assermenté en caboche à chaque marche.

Dégobillée en entrée, j'entends des coups de nougat donnés dans la lourde. Couic de grave, ce n'est que ma délicieuse franginette.

– Georgee ! Georgee ! Ouvre-moi, sœur cucul !

L'injonction est suivie d'un couinement digne du goret introduit de force en fente à courrier.

Trente secondes après Erreur, ce n'est pas le goret, mais Gordy, le rejeton d'Angus affligé du strabisme divergent prononcé, que la douce enfant enfile sans ménagement par la boîte à missives.

Nom d'un tichodrome échelette en poste restante.

Moi :

– Libby, ne passe pas le minifélidé en lettre. J'ouvre la lourde.

Elle :

– Gordy adoooooooooore !

Je découvre la gosse en bikini *und* bottes en caoutchouc, Gordy gigotant à bouche que veux-tu dans ses abattis *mit* force miaulements. Grâce à l'usage intensif du tortillement, la bestiole réussit l'escapade et se trisse en jardin, manifestant son mécontentement par l'éternuement, assorti secousse d'échine.

Libby en hilarité :

– Minou rigolo.

Sur cette belle constatation, l'enfant se jette sur ma rotule et la bécote copieusement en poussant des « J'aibe, ma Georginette » à n'en plus finir.

Intrusion de Mutti en cambuse, la robe taille poupée et le nunga-nunga plus moulé que le moule. Trop *le pathétique*. La mère de famille me passe l'accolade, ce qui peut se révéler particulièrement chocottogène. Je ne souhaite à personne d'avoir le cigare en frôlement de sa protubérance mammaire hors concours.

Mutti :

– Bonjour, ma Gee. C'était drôle, le camping ?

– *Le positif.* L'expérience dégagea le génie. Avec fabrication d'instruments de musique à la clef et à base de haricots secs. Herr Kamyer nous a régalées de l'imitation de l'animal par le truchement de la mimine, mais personne ne devina l'identité de la bestiole, à part Miss Frangette. Et kumquat sur le baba, je chus en mare et subis l'attaque de triton croûté.

Comme d'accoutumé, la mère de famille s'est carapatée en Muttiland et n'écoute pas sa progéniture.

– On est allés voir le strip-tease d'oncle Eddie à

L'Ambassadeur hier soir. Il y avait une ambiance du tonnerre. Une cliente lui a même volé sa plume de caleçon, tant elle était emballée.

Je pose la question, sont-ce des palabres à esgourder par une jeune fille en pleine croissance *und* fourrée à la sensibilité ? Je vous le déclare tout de go, ce n'est ni plus ni moins que de l'esgourdage à caractère débauchogène.

Une minute après Je zieute la mère de famille concocter le souper familial délicat (traduction : ouverture de boîte de consommé à la tomate) à grand renfort d'agitation. La femme est décidément obsédée par sa personne.

Icelle poursuivant son babillage :

– Tu aurais dû être là, Gee. C'était à se plier de rire.

– Je renchériiiiiiiiiiiiiiiiis, il aurait été formidable que je sois parmi vozigue. Formidable est le mot.

Mais la mère de famille ne capte pas l'ironie.

Ma sœurette continue de bécoter ma rotule, au son du gloussement. La gosse a oublié qu'il s'agissait de ma rotule perso, qui vient d'acquérir le statut de poteau de remplacement en lieu et place de Josh. Mais la brouille éclate entre poteaux et bibi se prend le bourre-pif rotulien de première vigueur. Sur ces entre-fêtes, la gosse gicle en jardin, en appelant Gordy à bouche que veux-tu.

Moi :

– Mutti, ne me dis pas que Libby était de la sortie strip-teasesque, en vue d'admirer Chauve Ier ?

– Ne sois pas ridicule, Georgia. Je ne suis pas complètement idiote.

– Je m'inscris en faucille. Il se trouve que tu l'es.

– Georgia, cesse d'être aussi insolente.

– Au fait, où est mon Vati ? Serais-tu parvenue à te débarrasser de la chose ?

Intrusion du père de famille au même moment. En fute de cuir ! Si je m'écoutais, je dégobillerais. Non content de m'infliger la vision atroce de sa vêture, il me dépose le poutou en perruque. Beurk. Ma perruque a été en contact *mit* lui. En obligation de la lessiver je suis.

Vati en retirement de veste, la banane de siphonné à la lippe :

– Bonjour ma Gee, pas de blessure au camping, on dirait. Pas de morsure de campagnol. Pas de chute dans une mare remplie de têtards ou est-ce que je sais ?

Je lui décoche le matage à forte teneur en suspicion. J'espère qu'il ne tourne pas Mère Soleil aux ultimes jours de sa vie.

Bibi :

– Je me goure ou je me goure ? Tu ne porterais pas le corsage de femme ?

L'homme perd aussitôt le contrôle de sa personne.

– Reste correcte ! C'est une authentique chemise des années soixante. Il n'est pas impossible que je la mette pour aller en boîte. Des concerts prévus ces jours-ci ?

Mutti :

– Tu as des nouvelles de ton Sublimo italien ?

Le père de famille plonge caboche la première en frigo, offrant à qui veut bien l'esgourder une vision panoramique de son popotin grand format enrobé de cuir. Je résiste à l'envie irrésistible de lui botter le sus-mentionné, sachant que l'homme promulguerait l'interdiction ferme et définitive de sortie à mon endroit en représailles.

Je gratifie Mutti de l'œillade sombre, conjuguée hochement de cigare en direction du frigo. Nonobstant, inutile de me biler, le père de famille a mis la paluche sur l'Eskimo, ce qui le rend plus jouasse que la joie pour un gras-double en falzar de cuir de contention. En suçotation du susdit, il se carapate au salon.

Mutti se rajuste le soutien-nunga-nungas, option débordement non autorisé, et me décoche la scrutation dans le même temps.

Moi :

– *Le quoi ?*

– Alors… tu as des nouvelles ?

J'ignore ce qui me prend, mais je lui vide ma besace :

– Mutti, tu peux me blablater au juste pourquoi le gus distribue le « À plus », alors que nul « plus » ne se présente ? D'ailleurs par le fait, à quelle date se situe le « plus » ?

– J'en conclus qu'il ne t'a pas appelée ?

– *Le négatif.*

La mère de famille pose séant *mit* l'air pensif, ce qui ne présage couic de bon.

Sézigue à la vitesse du gastéropode :

– Hum… Ben, c'est parce que les garçons sont en quelque sorte des gazelles craintives portant pantalon.

Je lui décoche le zieutage.

– Me dirais-tu par hasard que Scooterino est l'animal sauteur, qui par ailleurs fredonne *mit* groupe *und* conduit le motocycle *und* bécote.

Mutti :

– Il bécote ? Vraiment ?

Fichtre, mince, flûte et diantre par le fait. Sans compter popo. Je viens de briser la règle absolue du non-blablatage de la question bécot avec le vioque en siphonnitude.

Mézigue plus rapide que l'éclair :

– Bref, qu'entends-tu au juste *mit* ton affaire de gazelle ?

– Les garçons sont plus inquiets qu'on ne le croit. Massimo veut être sûr qu'il te plaît avant de s'engager vraiment. Depuis combien de jours est-il parti ?

– Je l'ignore. Je n'ai pas procédé au comptage. Scuse, mais je n'atteins pas ces sommets de nullité.

La mère de famille en balancement d'œillade :

– Combien d'heures, alors ?

– Cent quarante.

La converse est interrompue par l'irruption concomitante de père et fils félidés tentant le passage de chatière de concert, promptement suivis de Libby.

En chambre

20 h 45 Mutti et Vati se frittent en rez-de-venelle en raison d'une non-sortie de poubelle du père de famille, dont, à écouter Mutti, il serait coutumier. Et que je te fritte et que je te fritte.

Jamais je ne me comporterai de la sorte quand je serai épousée. De toutes les manières, je ne convolerai point *mit* le timbré pur beurre portant vêture moulante et persuadé que Nana Mouskouri est l'artiste *le extra*.

À cette micheline-là, qui marierais-je de toutes les manières ? Je n'ai pas mis le blair dehors depuis deux siècles et le bigo n'a pas sonné depuis son invention.

Quelqu'un peut me dire le *warum* nul quidam ne me passe le coup de grelot ? Pas même le Top Gang. Je suis rentrée en cambuse depuis des heures *und* des heures. Les potesses n'en auraient-elles cure ?

Le problème de l'époque de maintenant est que toute une chacune est trop obsédée par sa personne pour m'accorder le temps.

Cinq minutes après Enfin un instant en quiétude. Procédons à l'auscultation de mon fondement brisé. Oh, *le négatif !* Les hostilités reprennent. La parentèle dégage le trop-plein de puérilité.

Mutti en mode vocifération :

– Bob, tu vois ce truc en bois dans la chambre ? Ça s'appelle une commode et certains, les adultes qui ne se font plus langer par leur maman, rangent leurs affaires dans les tiroirs. De façon à ce que d'autres ne perdent pas un temps précieux à se prendre les pieds dans des caleçons qui traînent partout.

Oh, oh. Pugilat, pugilat !

Le père de famille se rend alors en chambre parentale et en traînant des nougats.

Icelui sur le mode ritournelle :

– Une petite chaussette dans le tiroir, deux petites chaussettes dans le tiroir, deux caleçons ravissants sur la tête, et dans le tiroir, buuuuuuuuuuuut !

L'étonnement gagne ma personne.

Mézigue à farcis poumons :

– Mutti ! Vati serait-il sous l'emprise du médicament spécial ? Ou bien aurait-il la circulation au cervelet coupée par l'entremise du falzar ?

Le coup est fatal. Le père de famille franchit caboche la première le numéro sept sur l'échelle de la perte totale du contrôle de sa personne (spasme de nerfs d'amplitude maxi).

Lui en hurlement :

– Georgia… Ceci ne te regarde pas !

Mézigue :

– Trop *le charmant*. Dire que je nous croyais la jolie famille *mit* activités collectives sous-jacentes.

Vati :

– Bref, où est ta sœur ? Elle est dans ta chambre ?

Comment se fait-ce que je sois la prétendue nounou de Libby ? Je ne suis pas le « gardien » de ma frangine, comme dégoiserait le petit Jésus. À moins que ce ne fût Robin des Futaies. Je l'ignore. Un gus en jupe de toutes les manières.

Moi :

– Non. As-tu jeté une mirette dans le placard sèche-linge *und* le panier de félidé ?

Cinq minutes après Nous allons de Charybde en Scylla. Mutti lancée sur les traces de Libby, Vati en profite pour esgourder les messages téléphoniques. Trop *le dommage*. Les fadaises de la potesse de Mutti déclenchent chez l'homme la série de *tss tss tss*. Viennent ensuite les récriminations de la Mutti de Josh.

Les susdites lui procurent l'attaque de nerfs plus violente que la violence, assortie divagations glapissantes à l'endroit de Mutti :

– C'est quoi, le problème, avec cette famille ? Comment se fait-il que Libby ait un couteau à pain dans sa chambre ? Tu es sans doute trop occupée à faire l'idiote avec tes soi-disant copines pour t'occuper de tes enfants !

Pour la mère de famille, c'est la gouttelette qui fait déborder la cuve.

Icelle, le volume au max :

– Comment oses-tu ? Alors, comme ça, ce sont mes enfants. Si tu t'intéressais un peu à eux, ce serait un miracle. Tu accordes plus de temps à ta ridicule clownomobile à trois roues !

Mutti a traité l'automobile de clownomobile. Hi, hi !

Le père de famille en phase finale du spasme de nerfs :

– Cette voiture est une antiquité.

Mézigue mettant mon grain de poivre :

– Ce n'est pas la seule.

Je provoque l'hilarité de la mère de famille, nonobstant pas celle du père qui blablate ceci :

– Si c'est comme ça, je m'en vais. Ne m'attends pas pour te coucher.

Mutti :

– Ne t'inquiète pas, aucune chance.

S'ensuit un claquage de lourde, lui-même suivi du silence.

Suivi à son tour du départ de la clownomobile à grande vélocité (deux à l'heure). Suivi du vrombissement lointain. Suivi d'une nouvelle quiétude.

Suivie d'une petite voix blablatant ce que voici :

– Mutti, j'ai le cucul coincé dans le seau.

21 h 30 Notre Seigneur, nous crawlons en plein cauchemar. Note, le susdit a le mérite de me sortir l'esprit du micro-ondes de l'amuuuuuuuuuuur.

Libby s'est encastrée en seau métallique. Mutti et votre serviteuse ne lésinons point sur le tirage, conjugué tortillement de la douce enfant, mais nos efforts restent vains.

Mutti :

– Va chercher du beurre dans le frigo. On va la tartiner et on la fera glisser.

Comme de juste, pas la moindre miette de beurre en cambuse. Ne se propose que la cuillerée à café de fromage blanc que Mutti me refuse pour cause de non-efficacité.

Vingt-cinq minutes après Au final, la mère de famille m'oblige à aller quémander du beurre chez les Porte-en-Face. Et pour tout remerciement, décrète que le bobard que je sers au voisin est nul.

Étant octroyé que le Père Porte-en-Face porte la nuisette, je m'efforce de ne pas descendre le zieutage plus bas que sa zone mentonale. De l'autre arpion, l'homme fait preuve de la curiosité intempestive quant à l'usage nocturne de la matière grasse.

– Alors, vous faites de la pâtisserie ?

– Euh… *le positif.*

– Ce n'est pas un peu tard ?

– C'est de la pâtisserie d'urgence, sauf votre respect. Elle nécessite la facture de nuit.

– Et quel gâteau faites-vous ?

Comment saurais-je ? Je suis en menterie. De toutes les manières, les seuls gâteaux de ma connaissance sont fourrés à l'amuuuuuuuuur et viennent de chez la marchande de. L'éclair Super-Canon, le fondant Scooterino. Me revient soudain l'épisode Dave la Bavaroise et je blabate ce que voici :

– On confectionne la bavaroise pour le non-esgourdant et l'œuvre de charité réunis.

– Des bavaroises pour les sourds ? Jamais entendu parler. Il faudrait que je goûte.

Le voisin tourne les talons.

Sur ces entre-fêtes déboule son rejeton, autrement dégoisé Oscar, apprenti Saindoux Brother et néanmoins crétin certifié à plein temps.

Crétin Ier :

– Lut ! Que ne se passe, furie ?

Que dégoise-t-il au juste et par le fait quelle est donc cette étrange vêture ? Que je vous la décrive. Bas de plafond porte le jean de mammouth atteint de la surcharge pondérale, l'obligeant à se déplacer par le truchement du dandinement, tel le canard bon à couic, afin de prévenir la chute de fute. Le tout agrémenté d'une remontée du même, à raison d'une fois toutes les cinq secondes. Plus périmé *und* pathétique, tu décèdes. Surfuté se propulse vers le plan de travail et lève la paluche pour prendre la canette de soda en étagère, oubliant son falzar taille déraisonnable, qui lui choit aussi sec aux chevilles. S'offre à moi la vision de songe : Diminué du Bulbe en couvre-fesses Bob l'éponge !

Mézigue :

– Oscar, je te ferais dire qui tu portes le calbute Bob l'éponge. Je le sais car, c'est total dingue, mais ton fute a chu.

– Ne suis au courant, ne l'ai fait exprès. Tout ne baigne. Respire.

Sur ces moches paroles, le diminué quitte les lieux, le falzar toujours aux chevilles.

Jamais, au vaste jamais, je ne me lasserai de la siphonnitude garantie sans additif du royaume gussal.

23 h 00 La libération de Libby des abattis de M. Seau requiert l'heure. L'enfant est ointe au beurre tel le goret de lait. Et par le biais de la coupure de couvre-fesses, le jeu est obtenu *und* le popotin affranchi.

Pour le bambin ordinaire, se faire tartiner telle la tartine *mit* tirage de force du seau métallique pourrait se révéler l'expérience à fort taux traumatogène. Sauf que le bambin ordinaire n'est pas atteint de la démence. Libby émet le rire de hyène, assorti fredonnement, durant toute la désincarcération, trouvant trop *le riant* de gober le beurre *und* de m'en recouvrir la perruque. Je ne vous raconte pas comment je me fends la poire. Que nenni.

N'en jetez plus, le patio est plein. Les félidés se joignent à la fête. Telle que vous me zieutez, ils passent leur langue plus râpeuse que la râpe sur le popotin de ma sœurette, braillant à tue-caboche (Libby, pas son popotin) :

– Minou chatouille !

De retour en paddock

On se croirait aux urgences popotales. J'ai l'arrière-train, que je négligeai faute de temps, soutenu par la bouée de Libby et le paddock fourré à la petite fille beurrée.

Sans compter que : possède-je ou non le gus de compagnie ?

Minuit Sans compter bis que le bécot fortuit en futaie *mit* la Marrade continue de me poursuivre en cogitation.

0 h 10 Si ça se trouve, telle est la manière de Notre Seigneur de me dégoiser : « Icelle qui vit par le rosissement popotal dormira sur bouée. »

Retour à bord
de la chiffomobile

8 h 00 Aïe, aïe et double aïe par le fait ! Je mettrais ma paluche à la plancha que la situation au chapitre fondement a empiré. Je me demande si je n'ai pas chopé de la bouffissure d'arrière-train.

Inspection en miroir

Je confirme l'aspect dilaté du susdit. *Le trop bien.* Je vais être obligée d'emprunter le couvre-fesses méga couvrant spécial frimas de Jasounette. À l'heure de tout de suite, la potesse l'a sûrement sorti de l'entrepôt de vêture hivernale. C'est la fille à repasser sa culotte d'uniforme un mois avant le retour forcé au Stalag 14. Ce qui me remet en souvenance le solde des semaines de vacances à ma disposition, qui se trouve être de quatre. *Sacré bleu und* popo.

Libby a déserté le paddock de votre serviteuse en vue de se préparer pour se vomir à la crèche. Je profite de l'occase pour me payer la tranche de rêve diurne à base de bécot *mit* mon Sublimo. Une supposition que je dessine l'image imaginaire de nozigue en séance bécot, une quasi-certitude que j'attire le gus à mézigue par le truchement du trucmuche médiumnique via la stratosphère.

Dix minutes après J'entends le préposé au courrier remonter l'allée. Ah, préposé, quel beau gagne-baguette ! Toujours présent dans les films d'antan que zieutaient nos vioques parents. Guilleret préposé qui traverse le jardinet, le sifflement au bec et la missive palpitante à la paluche pour toute la maisonnée. Un « Le *bonjour*, ma petite dame » à la maîtresse de cambuse *und* ensuite…

– Je te préviens, j'ai un bâton, saleté de chat ! Et je n'hésiterai pas à m'en servir !

Trop *le charmant*. Je dégoiserais même plus trop *le charmant*.

Jeter d'œillade par la lucarne. Super-Matou fait le mariole sur la poubelle devant Naomi, sa promise persane *und* givrée *und* gourgandine, en taquinant le préposé à grand renfort de crachat de chat *und* baffes factices *und* sortie de griffes, suivie de rentrée des mêmes. L'itinéraire du préposé pour atteindre la lourde l'obligeant à passer en vicinalité de poubelle, ce dernier fouette l'air du gourdin à l'intention d'Angus. Le monstre adore le gourdin. Plus la solive affiche la forte mensuration, mieux c'est. Fou de félicité, le félidé s'allonge sur l'échine et démarre aussi sec la machine à ronron, le volume au max. Audible jusqu'en chambre. J'ignore l'origine de sa passion pour le bâton, mais c'est le fait. Il vénère le rondin presque autant que l'automobile.

Dont il pense qu'elle est la souris géante sur roues. Subséquemment, la proie à courser.

Pas plus tard que l'autre matin, Angus rapporta le bâton de tonnage conséquent, qui requit la demi-heure de cogitation avant introduction en cambuse par voie de chatière. Nonobstant, le félidé réussit haut la patte, car il n'est ni plus ni moins que le génie.

Deux minutes après Idem *mit* le pigeon taille din-don. Super-Matou tira le volatile en arrière par les nougats *und* par la chatière, secondé par félidé junior qui lui souleva la caboche dans un premier temps et l'enfourna dans un deuxième.

Un duo d'anthologie. Père et fils affichèrent la fière-titude ainsi que la plume en *le grand quantité* sur la totale surface corporelle. Ils prirent même la peine de disposer le columbidé face à la lourde sur support, de façon à faire pleinement profiter Mutti du spectacle à son retour.

Pour en profiter, la femme en profita, manifestant son profit par le truchement de la crise de première fraîcheur, agrémentée saut sur chaise *und* criailleries. Angus, Gordy *und* le pigeon décédé lui décochèrent l'œillade collective.

Mutti :

– Horribles voyous tueurs velus !

Mézigue :

– Je te ferais dire que tu froisses la sensibilité du félidé.

Pour toute réponse, Mutti me jeta la cuvette à vais-selle à la tête. Constatez par vozigue-mêmes la préve-nance maternelle dont je suis l'objet.

Une minute après Le préposé passe devant le monstre tel le brave et dispa-raît de ma vision en introduction de missives en boîte à.

Angus n'apparaît plus sur mon radar. Oh, je sais ce qu'il mijote !

Sa blague *le très riant* qui consiste à rôder en sommet de haie dans le dessein d'opérer l'atterrissage sur la caboche du préposé quand icelui sortira du jardinet. Hi, hi ! À la bonne marrade. Si seulement j'étais félidée. Au moins, je serais sustentée de temps à autre.

Note, je ferais l'impasse sur le léchouillis de fondement dont le chat raffole. Note bis, le mien perso (le fondement, pas le félidé) ayant subi la bouffissure, il serait plus aisé à atteindre.

Mutti en mode vociératoire :

– Gee, descends prendre ton petit déjeuner et dire au revoir à ta famille !

Moi :

– En possède-je encore une ? Je croyais Vati en partance définitive. Il l'avait promis.

Le père de famille à plein tube :

– Tu te crois drôle, peut-être. Tu riras moins quand je ne te donnerai pas tes dix livres d'argent de poche. Tu n'auras rien pour t'acheter de l'eyeliner, du monique ou je ne sais quelle crème dont tu te tartines la figure.

Du Monique ? L'homme aurait-il fini par disjoncter ?

Mutti :

– Arrêtez tous les deux ! Écoutez plutôt. Une carte postale pour Georgia venant de l'étranger ! Qui ça peut bien être ?

Par le pige-moi-ça de Notre Seigneur ! Je bondis tel le saumon, remisant mon affliction popotale derrière moi. Hi, hi ! *Le formidable*, mon cervelet adopte le mode bouffon hystérique.

Vati tient la carte en mimine et la lit ! *Le négatifffffffffffff !*

Lui *mit* accent mozzarella à chouiner :

– *Ciao*, Georgia, c'est *mio*.

Mézigue tentant d'arracher la dépêche :

– Vati, je te ferais dire qu'il s'agit de la propriété privée adressée à ma personne perso. Une supposition que le destinataire ne soit pas le premier grassouillet givré venu, une certitude que la carte n'est pas pour tézigue.

Le père poursuit sa lecture comme si de couic n'était :

– Je suis, comment dites-vous déjà, avec la famille de *mio* à Rome.

Je finis par arracher mon bien et fonce au premier.

Mutti :

– Tu n'es vraiment pas gentil, Bob. Tu sais comment elle est.

Vati :

– Oui, je sais. Elle est folle, comme toutes les femmes de la famille. Attends une seconde… qu'est-ce qui est arrivé à mon seau pour laver la voiture ?

Mutti :

– On a dû taper dessus avec un marteau. Libby s'était coincé le derrière dedans.

Vati :

– Je baisse les bras.

En chambre

Oh, Notre Seigneur, j'ai la fébrilité qui me fait bigler.

Que dégoise la missive ?

Vingt secondes après

Ciao Georgia,
*C'est mio. Je suis, comment
dites-vous déjà, avec la famille de mio à Rome. Je suis
chaud (inutile de le préciser, vieux, je suis au jus). Je joue
amusant. Toi aussi, tu joues amusant? Toi me manquer.*
Je te parle dans téléphone mardi.
Ciao, bellissima, Massimo. Baccii.

Une heure après

Trois millions d'années plus
tard, la famille siphonnés pur
jus finit par mettre les bouts en vue de détruire la vie
d'autrui et je peux enfin faire usage du bigo.

Je manque de peu composer le numéro de la sage
femme de la futaie quand je me rappelle soudain que
ladite me traita de péripatéticienne. La fille est décidément farcie à la soupçonnite *und* terriblement
agaçogène. Comment ose-t-elle sous-esgourder en
face de toute une chacune que j'aurais fricoté avec
la Marrade ? Elle est pourtant au sent-bon que je
fréquente officiellement le Sublimo. Qui se trouve être
a) chaud *und* b) joue amusant.

Par la pilosité faciale de Notre Seigneur, que signifie
au juste « jouer amusant » ?

Une consultation du Top Gang s'impose.

Miss Frangette exceptée.

Je la bats plus glacé que la glace, ce qui lui fait les
arpions par le fait. J'ose espérer qu'elle percute que je
la bats glacé, sinon le battage ne rime à couic.

Deux minutes après

Vu sa tendance à la lenteur
cérébrale, pas impossible que
je sois obligée de lui bigophoner dans le dessein de la
mettre au jus de mon battage glacé.

Aussitôt dégoisé, aussitôt grelotté.

C'est sa Mutti qui décroche.

– Bonjour, Georgia. Il paraît que vous vous êtes amusées comme des petites folles au camping. Jas m'a dit que vous avez chanté et joué à des jeux jusque tard dans la nuit.

– Euh, *le positif...*

– Je suis sûre que tu as passé un moment formidable.

– Euh, *le positif*, ce fut très campinguesque.

– Bien. Je t'appelle Jas. Il me semble qu'elle est dans sa chambre, en train d'épousseter ses chouettes et de les ranger.

Ôtez-moi d'un doute, ce genre de fadaises ne s'écrient pas, je me goure ou je me goure ? Une supposition que je rédige l'ouvrage dans lequel je blablate : « J'ai la potesse qui époussette sa collection de chouettes en peluche *und* traque le triton croûté », une certitude que le lecteur dégoise ce que voici : « Ceci n'est ni plus ni moins que de l'exagération. Vous allez voir qu'au prochain coup, quelqu'une dégoisera qu'elle s'est vomie à la soirée costumée, déguisée en olive fourrée. Ou qu'elle a bécoté trois gus de compagnie pour le prix d'un, par le truchement de l'inadvertance. » Que personne ne bouge, la susdite remarque me semble dégager l'impression de déjà- zieuté.

Jas :

– Oui.

– Jasounette, c'est mézigue, la péripatéticienne, mais je m'apprête à t'accorder le pardon.

– Me pardonner quoi ?

– De te comporter telle la vilaine potesse en discourant à tout va que je fais preuve de l'égoïsme *und* du relâchement *und* que j'ai la tonne de gus de compagnie.

– Tu peux avoir autant de gus de compagnie que tu veux, je m'en bats la mirette. Je ne suis pas le « gardien de mon frère ».

– Jas, je sais. Tu n'as pas le frère.

– Je parlais de toi.

– Je te signale que je n'en ai pas non plus, Notre Seigneur merci. En revanche, j'ai la sœur aliénée, qui, soit dégoisé en passant, est probablement bonne pour l'inculpation de coups et blessures volontaires pouvant entraîner la coupe.

– Tu voulais sans doute dire : pouvant entraîner la mort.

– Que nenni, je persiste : la coupe. La Mutti de Josh a poussé la jérémiade et Libby est interdite de crèche. C'est mon Grand-Vati qui la garde. La douce enfant est le seul membre de la famille victime de la mesure d'éloignement, à part l'aïeul.

La potesse ne fait pas montre de la tonne de compassion.

– À mon avis perso, ce ne sera pas la dernière. Scuse, mais je suis méga occupée.

– Jasounette, je t'en supplie, ne me déploie pas la chiffonnade. J'ai besoin de tézigue, ma petite potesse en sucre. Je t'en supplie, plie, reviens à des sentiments plus amènes à mon endroit. Double supplie, plie, *mit* supplique *und* une pincée de…

– Arrête, arrête, j'ai pigé.

À l'évidence, Miss Frangette lève l'arpion au chapitre chiffon, nonobstant la fille reste bloquée au quatrième degré de l'échelle de la chiffonnade (tournage d'échine à sa meilleure potesse).

– Un bon geste, Jasounette. Remets-tézigue en souvenance de la marrade que nous eûmes en nous propulsant à la Sioux en tente gussale ? Ne suis-je pas celle qui te prévint que ton Craquos était sur zone ? Alors même que tu poussais la chansonnette.

– Ben, oui, mais…

– Je déployai la magnanimosité, ce dont peu

peuvent se prévaloir. Mais c'est le fait, car je t'aiiiiiii-
iiiiiiiiiiiime. Un max.

– C'est bon, arrête les dépenses.

– Ne me débite pas que tu ressens la honte de notre
amuuuuuuuur ?

– Tais-toi. On pourrait nous entendre.

– L'individu vivant en bigophone ?

– Non, mais bref, qu'est-ce qui se passe-t-il ?

– Scooterino m'a décoché la carte postale. Le meeting extraordinaire du Top Gang s'impose.

– Oh, non.

– Oh, *le positif.*

En parc

14 h 00 Le soleil brille brille brille. J'arbore la minijupe en jean *und* le haut dos nu *und* le croquenot d'été *le sublime.* Nonobstant, j'envisage l'action prompte en zone jambale, vu sa pâleur
dépressiogène. Roro a revêtu le short décoré de la
multitude de casques vikings lui conférant le ne-passe-
pas-inaperçu.

Rosie :

– Sven l'a fait imprimer de la sorte en mon honneur.
Trop top, non ?

Moi :

– On peut le dégoiser ainsi.

– Soit blablaté en passant, il officie en qualité de DJ
pour la première fois le week-end prochain avec
mézigue en groupie officielle, par le fait. Venue de ta
personne exigée.

Dix minutes après La cantonade pose séant sous
le marronnier en vicinalité de
balançoires. L'abeille gazouille et le zoziau bourdonne,

le canidé batifole, le quidam boulotte la glace, le gniard se fourre l'Eskimo en mirette par l'intercession de l'erreur, etc. Ravissant, ravissant après-midi, propre à la débobination des fils de l'amuuuuuuuuuur.

La gomme à mâcher est passée à la ronde et le choix fait après moult tergiversations de l'emplacement où Ellen doit caler son popotin.

Icelle :

– Ben, euh… Franchement, je ferais mieux de me mettre à l'ombre, à votre avis ? À cause des ultraviolets, mais, euh… une supposition que je ne m'expose pas au soleil, une éventualité que je n'aie pas le minimum requis en vitamine D, ce qui ne serait pas, comment dire, terrible. Ou quelque chose.

Pour terminer, Hésitante Ière range sa partie corporelle supérieure en ombre et exhibe le cuissot au soleil, toute une chacune lui affirmant que nul quidam n'a jamais chopé le cancer de la rotule. Total, on n'en sait couic, mais parfois (très souvent, par le fait, d'après l'expérience de Bibi) débiter le bobard est la meilleure politique. Surtout quand le harassement vous gagne à force de discourir du sujet à forte teneur en tartitude.

Une minute après J'ignore *le warum* je prends la peine d'expectorer le bobard, étant octroyé qu'Ellen file au service pipi et Cie se passer l'eau froide sur le poignet en vue d'éviter le coup de soleil d'abattis.

Jasounette est toujours attendue sur zone. Je me demande si elle n'aurait pas franchi le numéro six sur l'échelle de la chiffonnade et simulerait la non-esgourdance.

Remémoration du Top Gang et de l'expédition campinguesque avec visite nocturne de la gent gussale à la furtive et à la clef.

Mabs :

– Je me suis essayée au bécot *mit* Edward.

Jools :

– Résultat des courses ?

Mabs en mastication suivie explosion de gomme à mâcher :

– Pas mal. On a fait halte au numéro quatre avec détour par le numéro cinq.

Mézigue :

– Total, vous avez zappé aussi le quatre et demi. Je le dégoise et le redégoise, l'idée de l'experte en têtard tenait de la faribole. Qui à part sézigue et son Craquos serait tenté par le bécot de paluche ?

Mabs :

– Qu'esgourdes-tu au juste par « aussi » ?

Moi :

– Qu'esgourdes-tu par « qu'esgourdes-tu au juste par aussi » ?

Mabs, le faciès en proximité maximale du mien :

– Georgia, je te prierais de m'octroyer le pardon si je ne suis pas en gourance, mais tu as dégoisé ce que voilà : « Total, vous avez zappé aussi le quatre et demi. » Ce qui signifie : « Total, vous avez zappé le quatre et demi, comme mézigue. » Conséquemment, tu as zappé le quatre et demi *mit* un quelconque gus. Sachant que l'unique quelconque gus dans les parages était Dave la Marrade.

Oh, oh, où est passé mon diplôme en diversion ? Mabs enfonçant le clou tel le bras zélé de Miss Frangette :

– Alors, tu peux nous dire ce que tu fricotais *mit* la Marrade en voisinage de rivière ?

Moi en mode décontracture à tous les étages :

– Pour tout dégoiser, je suis trop jouasse que tu me poses l'interrogation. Car la soupçonnite est l'ennemie jurée de la potesse. La vérité est plus simple que la simplicité. La Marrade et moi jouions à… euh… chat.

Roro :

– La Marrade *und* tézigue disputiez la partie de chat. Je zieute. Une seconde. La chose mérite cogitation. *Le trop bien*, j'ai la pipe.

Oh, non.

Deux minutes après Notre Seigneur, je subis l'interrogatoire de l'inspecteur Givré du Yard.

L'inspecteur (c'est-à-dégoiser Roro *mit* pipe à la lippe *und* fausse barbe au menton) :

– Tu voudrais nous mettre en croyance que tu jouais à chat avec la Marrade en gambadant de-ci *und* de-là en futaie ?

– *Le positif.*

– Je le déclare tout de go, ma petite potesse, tu es plus demeurée que la demeure.

Sur ces entre-fêtes, Ellen revient parmi nozigue pile à temps.

Mézigue, la risette à la commissure, en mode guillerette, mâtinée querelleuse :

– Ellen, ma grande, tu ne nous as toujours pas expectoré le morceau concernant Declan. Je te rappelle que la règle du Top Gang stipule le total partage de l'expérience bécotale.

Rosie et Mabs me haussent la pilosité sourcilière, mais je mime la fille qui ne les a pas zieutées.

Ellen grimpant illico en vaguomobile :

– Ben, Declan m'a montré, ben, il m'a montré quelque chose et…

L'inspecteur Givré du Yard *mit* clignement de mirette, conjugué suçotation de pipe :

– Hum.

Ellen en franchissement du rubicond et en mode agitation de première fébrilité :

– Il m'a montré son couteau suisse.

L'inspecteur Givré faisant mine de sortir le calepin :

– Bien. Tu lui as donc admiré le couteau, mais l'as-tu bécoté ?

– Ben, quand on s'est, genre, quittés pour rentrer à la tente, j'ai eu droit à un numéro trois et ensuite…

– Ensuite, vous êtes passés *fissa* au numéro quatre.

– Ben, non, il…

– Il a zappé le quatre et il a opté direct pour le nunga-nunga ?

– Non, ben, il… il, genre, il m'a dit, il m'a dit : « À plus. »

Oh, Notre Seigneur, nous revoilà vomies en À-plus-land ! En serons-nous jamais libérées ?

Une minute après Nonobstant, le « À plus » a le mérite de clore le bec de toute une chacune au chapitre la Marrade.

Une minute après Arrivée de Jas sur zone. La potesse affiche la joliesse, à condition de développer l'engouement pour la frange démente.

Miss Frangette :

– J'étais au bigo avec Tom. Il joue au foot avec ses poteaux cet aprèm' en vue d'étrenner ses nouvelles chaussures.

Mézigue :

– Non ! *Le total incroyable !*

La copine me décoche le zieutage chiffonné, mais,

ne souhaitant pas me fader un surplus de discours d'icelle, je lui passe l'accolade, agrémentée bout de gomme à mâcher.

La cantonade vient de reposer séant *und* bibi de sortir la carte de Scooterino dans le dessein de l'exposer au Top Gang, quand Jools annonce ce que voici :

– Oh, Notre Seigneur, alerte Saindoux Brothers !

Les gras-doubles traînent de l'arpion parmi les végétaux, à l'autre bout des balançoires. Leur leader charismatique, Mark Grosse-Bouche, est aux abonnés absents. Je mettrais ma mimine au briquet qu'il promène sa copine taille lilliputienne en poche de blouson. En revanche, l'apprenti Saindoux Brother figure au nombre des gros lourds. Je remarque que Perverso junior a passé la ceinture à son fute taille mammouth. Résultat des courses, il n'affiche plus l'aspect du demeuré, mais celui du demeuré ceinturé.

Mabs :

– Une supposition qu'on ne les mate pas, une éventualité que la lassitude les gagne.

Moi :

– Pourrions-nous revenir au sujet que je tiens en pogne ? À votre avis perso, que signifie « Je joue amusant » ?

Ellen :

– Ben, euh, je ne sais pas, mais tu sais, ben… ben, tu sais, quand un garçon dit : « À plus », ben, comme quand Declan m'a dit : « À plus » et c'était, genre, il y a trois jours. Alors, euh, on peut considérer ça comme plus tard, non ? Ou quelque chose. Et pourtant, il ne m'a pas, euh, fait signe.

Bien que l'ordre du jour officiel du meeting soit bibi (étant octroyé que c'est mézigue qui le convoquai), je ressens la pitié à l'envers d'Ellen. Par ailleurs, il faut le dégoiser, le soulagement serait *le immense* si

Hésitante Ière convolait *mit* Declan. Subséquemment, elle lâcherait les baskets de la Marrade.

Non que le lâchage me regarde.

Si on va par là, le gus a la fiancée.

Possiblement.

À moins qu'il l'ait mise au sent-bon de l'incident bécotal auquel je fus mêlée. Auquel cas, la fille apprend le *kickboxing* en vue de notre prochaine entrevue.

De toutes les manières, tais-toi, cervelet. La Marrade est en paluche, ce qui est une bonne chose dans la mesure où je le suis mézigue-même.

Certes, je n'ai pas la fiancée, mais le quidam transalpin.

Qui, soit dégoisé en passant, n'arbore pas le sac à mimine.

Ni le soutien-nunga-nungas destiné à l'activité sportive.

Quoi qu'en blablate l'expert en poilade. Quelqu'un peut me dire au juste comment se fait-ce que la Marrade maraude dans ma tête ?

Jools à Ellen :

– Si ça se trouve, Declan fait preuve de la timidité.

Ellen :

– Oui, mais, ben, il m'a montré son couteau suisse.

Je lui décoche l'œillade *und* m'interroge sur la réponse idoine à cette remarque.

Mézigue :

– Si ça se trouve, il est bas de plafond.

Je sens la glande lacrymale de la copine limite sur le point d'ouvrir l'écluse. Nom d'une aigrette garzette battant pavillon panaméen. Une supposition qu'Ellen actionne la pompe à chouinade, une certitude que jamais je n'aurai l'opportunité de mettre le sujet Sublimo sur la carpette.

Moi plus rapide que la lumière :

– J'ai la soluce. Jas peut demander à son Craquos de demander à Declan et confrères de venir à la démo DJ du géant des steppes glacées. Conséquemment, Declan aura la bonne excuse pour afficher le couteau suisse *und* tout ira bien qui finira bien *und* ainsi de suite.

La copine récupère une tranche de joie de vivre.

Bibi :

– Et maintenant, si on revenait à nos brebis ? À l'avis perso de vozigue, qu'est-ce que le sens de « je joue amusant » ?

Je n'ai pas fini ma phrase que l'élastique me percute la bajoue.

– Aïe ! Aïe ! Et aïe, par le fait !

Le trop curieux, non content de ne pas avoir été livré au rayon intellect *und* d'afficher le trop-plein de nullité, le Saindoux nous lance l'élastique de derrière le végétal sous lequel nozigue avons posé séant, s'imaginant plus planqué que la planque. Le décérébré aurait-il tourné homme invisible ? Que nenni.

Lever de ma personne, assorti propulsion en direction de l'arrière du végétal où le Saindoux traîne son gras-double *und* exhale la fumée par l'entremise de la clope *und* remonte son falzar. Notre Seigneur.

Moi à un enrobé portant bésicles :

– Que voulez-vous au juste ?

– Voir vos nunga-nungas.

Le troupeau de bœufs part illico en hilaritude *mit* criailleries : « Allez, montrez-les-nous ! »

Roro rapplique sur zone et toise le Saindoux de toute sa hauteur. Je précise que la potesse ne pointe pas chez les rachots.

Rosie :

– J'ai le plan *le super*. On exhibe le nunga-nunga,

mais vous exposez le vermicelle *first*, afin de vérifier l'anomalie.

Ellen, Jools, Mabs et même la sage femme de la futaie rappliquent dans le but de former le mur devant leurzigue.

Moi :

– Allez, les gus, un bon geste, baissez le sous-vêtement.

Les diminués amorcent la marche arrière, le fute tenu en paluche.

Jools :

– Seriez-vous atteints de la timidité ? Souhaitez-vous le coup de mimine ?

Enclenchement de la vitesse supérieure des Saindoux devant le rouleau compresseur de nozigue. Suivi de la fuite éperdue *mit* saut de barrière en bout de parc.

Douze minutes après Dans sa grande sagesse, le Top Gang traduit : « Je joue amusant » *und* « Toi aussi, tu joues amusant ? » en idiome de Billy Shakespeare par : « Je passe le bon moment, mais tu me manques. Passes-tu le bon moment, mais te manque-je ? »

Ce qui penche vers *le extra*.

Subséquemment, tout baignerait si Jas ne faisait l'empêcheuse de tourner en cercle.

Après deux heures de palabres consacrées au susdit sujet, toute une chacune est en partance pour regagner ses pénates.

Moi à la cantonade en innocence :

– À votre avis perso, les potesses, quelle est la tenue idoine de bigo pour l'appel de Scooterino ?

Jas monte illico en chiffomobile pour la raison inconnue, la rubéfaction au max de la rougeur *und* la secousse de frange paroxystique.

– Comment se fait-ce que ce soit toujours pareil avec toi, Georgia ? Pourquoi n'es-tu pas fichue de blablater des trucs normaux ? Exemple, si Tom veut que je l'accompagne à la réserve naturelle, il me dit : « Jas, veux-tu venir avec moi à la réserve naturelle ? Une journée préservation est organisée. On pourrait désherber les rives du canal ? » Et je lui réponds : « Oui, ce serait super, Tom. » Simple comme bonjour, pas de niaiseries ni de devinette en vue de savoir ce que veut dire « jouer amusant », ni de questionnement sur la tenue de bigo.

Que blablate-t-elle au juste ?

Mézigue :

– Ôte-moi d'un doute, Jasounette, tu as tes mickeys ou bien ? Car on dégoiserait que tu déploies le rab d'instabilité cérébrale comparé à d'us.

Icelle en totale perte de contrôle de sa personne *und* vocifération à outrance :

– Je te ferais blablater que je n'ai pas mis la crème solaire et que je risque la pelade à cause de tes élucubrations sans fin. Et pour résumer, le Transalpin t'appelle demain. Par conséquent tu pourras lui demander directement ce qu'il a voulu dire par « jouer amusant » !

Sur ces entre-fêtes, Miss Têtard se fait la valise à vive allure.

Nom d'une locustelle lancéolée en fin de carrière. Toute une chacune échange le zieutage.

Moi :

– Je suspecte le problème de chouette.

En paddock

Nonobstant la question reste entière. Que revêtir au rayon vêture pour le coup de bigo ? Je regrette la pâleur de mon derme. Je crois certains quidams

capables de deviner si d'aucun arbore le bronzage.
Même par voie bigophonique. Je mettrais mon citron à
la scie sauteuse que je peux déclarer si le Transalpin
affiche le hâle.

Deux minutes après Pour ne couic vous cacher,
une supposition que le gus
soit bronzé, une certitude que je défaille. Je ne suis pas
en mesure d'encaisser plus de crousti-fondant qu'il
n'en dégage déjà.

Cinq minutes après La préparation de discours
est-elle judicieuse ? Ou du
moins de converse normale, par le truchement du sujet
pratique, au cas où j'égarerais le cervelet ou qu'il
décide de se trisser en safari à Givreland.

Une minute après Subséquemment, révisons ce
que je fis récemment.
La tonne de trucs et de machins.

Cinq minutes après Le compte rendu de l'exhibition de la Mère Wilson en
nudité sous les mirettes de Herr Kamyer n'est peut-
être pas de première utilité.

Deux minutes après Idem pour mon bris de fondement en rivière.

Quatre minutes après Tout bien cogité, je
compte mettre le total
mouchoir sur le désastre campinguesque dans son
ensemble, redoutant le risque d'intrusion de la
Marrade en cerveau de ma personne. Je m'en tiendrai
donc à la bavette allègre.

Lui parle-je ou non de l'épisode bavaroise pour le non-esgourdant ?

Trois minutes après Ou du calbute Bob l'éponge de l'apprenti Saindoux ?

Deux minutes après Je crains que les sujets sus-mentionnés ne soient pauvres en normalité. Cantonnons-nozigue à l'actualité internationale, panachée art.

Deux minutes après *Warum* ne pas lui demander son avis sur le taux de change. Encore faudrait-il que je susse ce que recouvre le vocable.

Une minute après De toutes les manières, où crèche Rome exactement ?
En botte d'Italie ? Ne serait-ce point l'Espagne plutôt ?
    La perspective de demain me met le nerf en pelote. Jamais je ne trouverai le sommeil. Postérieurement, j'afficherai le cerne sombre en zone inférieure oculaire *und*...
    Zzzzzzzzzzzzzzzzzzzzzzzzzzzzzzzzzzzzz.

Mardi 2 août

9h 30 Émergence de mézigue *und* d'un rêve à base de Sublimo sur fond de Cité éternelle. Je portais la cape et Scooterino me blablatait ceci : « Alors, *cara*, en quoi t'es-tu déguisée pour la soirée costumée ? » Je larguais alors la vêture et déclarais ce que voilà : « En œuf au plat. »

Grelottement du grelot. Je manque me casser la binette sur le monstre *und* Bigleux Ier jaillissant de l'obscurité.

Face au bigo, j'égare la parole, pour cause de trop-plein de nervosisme.

Sur ces entre-fêtes, j'esgourde la voix de mon Grand-Vati :

– Bonjour, bonjour. Parlez plus fort.

– Grand-Vati, je n'ai encore couic dit.

Le tricentenaire en mode ultravioque magnifié :

– Écoute plutôt : Que fait le cochon quand il part en courses ? Il prend un pochon. Tu as pigé ? Un pochon ! Je suis trop drôle. Dis-moi, tu fréquentes ? Tu devrais. Rien de mieux pour remonter le moral qu'un bon bécot.

Oh, Notre Seigneur, mon Grand-Vati blablate de bécot.

Ce ramponneau-ci, j'aurai expérimenté toutes les catégories de dépravation, avec en bouquet final la dépravation à forte teneur en moisi.

Deux minutes après Je réussis à faire lâcher le bigo à l'ancêtre par le biais du bonjour à Libby (qui me décoche le ronron en retour) et la promesse de venir disputer la partie de cache-cache *mit* sézigue et collègues de la maison de vioques. Peu me chaut de disputer ladite car, venu mon tour de me dissimuler, je file faire le tour des échoppes du quartier et m'en reviens une demi-heure plus tard afin de me glisser en placard. La partie procure la tonne de joie de vivre aux gérontes.

Nonobstant, j'éprouve l'affection à l'envers de mon Grand-Vati. C'est le gus qui a déposé le brevet de l'optimisme. Sans compter qu'il est à deux didis de convoler en injustes noces avec sa fiancée tricotée main.

Mutti vaque de-ci *und* de-là en cuisine et en nuisette transparente, telle Mme Zozo de Zozoland. C'est le jour de récup' de la femme et icelle ne semble pas vouloir déguerpir de sitôt. Obligée de lui faire débarrasser le parquet.

Mézigue en mode guilleret, truffé à l'intérêt :

– À quelle heure comptes-tu te trisser ? Dans une minute ? Pour profiter de ta journée à plein régime.

La mère de famille pose séant sur chaise *und* nunganungas sur table, sans doute déjà harassée par le transport d'iceux. Notre Seigneur, faites que je sois épargnée par le gène de la protubérance mammaire hydrocéphale.

Mutti :

– J'ai pensé qu'on pourrait sortir toutes les deux, faire quelque chose de *le super*.

Le super ?

Bibi :

– Je pose la question : es-tu atteinte de démence aggravée car je te le dégoise sans frais a) Je ne me vomis nulle part avec tézigue et b) Idem à la puissance jamais.

– Hahahahahaha ! tu as eu peur. Serais-tu victime d'une grippe de nerfs à cause du coup de fil de Massimo ?

Le choc manque me faire vaciller.

Moi :

– Je te ferais blablater que le terme idoine est attaque de nerfs, qui se trouve être le numéro six sur l'échelle de la perte de contrôle de sa personne. Mais de toutes les façons, comment se fait-ce que tu sois au jus de l'attaque de nerfs ? Aurais-tu fourré le blair dans mes tiroirs perso ?

La mère de famille ne prend même pas la peine de répondre, trop occupée à boulotter la confiture directement du pot au consommateur. À cette miche-line-là, la femme produira la surcharge pondérale qui la coincera définitivement en clownomobile de Vati, obli-gée de descendre *und* de remonter l'allée du garage jus-qu'à ce que décès s'ensuive *und* d'alpaguer le chaland dans le dessein d'obtenir la sustentation. Excellent.

Mutti en fin de mastication :

– Mes copines et moi avons toutes sortes d'expres-sions. On s'amuse beaucoup. Il n'y a pas que toi et les tiennes. J'ai ma vie.

Je jugule l'hilarité naissante.

Mutti :

– L'autre jour, à l'aquagym, Fiona a tellement ri à cause de la musique que le prof avait choisie qu'elle a fait pipi dans la piscine. Quand elle me l'a raconté, j'ai failli me noyer. Toute la bande a été obligée de quitter le cours et je ne suis pas sûre qu'on puisse y retourner.

La femme est secouée du hoquet, conjugué glousse-ment qui lui confère l'aspect de la demeurée. Pas éton-nant que je rencontre la difficulté *mit* la gent masculine en ayant pour modèle le spécimen de la sorte.

Je quitte la cuisine avec un max de dignitosité en vue de cogiter à mon coup de bigo en provenance de la marchande de gâteaux fourrés à l'amuuuuuuur.

De retour en chambre

Dix minutes après Quelle vêture adopter ? Je dégoiserais même plus quelle ? Je vous le blablate sans détour, pas question d'arborer le jaune en raison du songe récent à base d'œuf au plat.

Et si j'optais pour le bikini rouge *mit* pois ? La Transalpine est fervente adepte du bikini rouge qu'elle vêt même en officiant en banque ou en café et ainsi de suite. Note, l'infirmière évite peut-être, pour cause de respect hygiénique. Mutti m'a relaté qu'à l'époque où elle avait un fiancé mozzarella, elle était allée *mit* sézigue sur une plage et qu'un gus en motocycle s'était pointé sur zone. Une Transalpine en bas de deux-pièces et croquenots à talons vertigineux avait alors enfourché le motocycle derrière sézigue *und* allumé la clope et les deux s'étaient trissés *mit* vrombissements *und* nunga-nungas flottant au gré de l'alizé (elle, pas lui).

De retour en cuisine

9h 45   Quelqu'un peut me dire au juste pourquoi la mère de famille tape l'incruste ? J'ai enfilé le bikini (sous la vêture ordinaire), que je compte arracher au premier coup de grelot.

Cinq minutes après   Mutti est intarissable sur le sujet sézigue. J'en sais plus que je ne souhaiterais la concernant.

9h 55   Oh, noooooooooooooooooon. La voilà qui amorce le virage sentiments *und* relations ! Le pire étant qu'elle blablate des siens ! Zieutez plutôt l'horreur.

Au dire de la mère de famille, elle ne partagerait pas l'intérêt commun *mit* Vati.

Mézigue :

– Tu peux me dire qui le partage ?

La femme ne m'esgourde même pas, poursuivant comme si de couic n'était :

– J'étais une femme différente quand je l'ai rencontré. J'ai changé.

Le Sublimo me passe le coup de bigo dans moins d'une minute et elle n'a pas désin-crusté.

Mutti :

– Je ne rejette pas la faute sur lui, mais on change et on a envie de choses différentes.

Moi à la vitesse du son :

– *Le positif, le positif,* tu es plus dans le vrai que la vérité. Tézigue es en besoin de changement, au rayon paysage, s'entend. Il te faut sortir sous le rayonnement de l'astre solaire retrouver tes potesses pour les inter-roger sur leur ressenti perso. Tu pourrais même pous-ser le bouchon jusqu'au repas de gala. Étant octroyé que tu ne t'es empiffrée que du kilo de confiote, tu risques l'appétence. Opte pour la pizza arrosée au *vino tinto* car tu n'es pas sans ignorer ce que dégoise le Latin : *in vino verrerie tasse.* Accorde-toi l'espace vital.

– Tu crois vraiment ? M'amuser sans me sentir cou-pable ?

J'opine du bonnet telle la bonnetière.

Le merci au petit Jésus et compagnie, la mère de famille s'est fait la mallette. Plus tartinée que la tar-tine. C'est du Mutti tout expectoré de se payer la crise de semi-vieillerie au moment où j'attends un coup de bigo.

La tensionitude est à son comble, condui-sant bibi à la totale impossibilité d'ingérer la denrée ali-mentaire si ce ne sont la chips rôtie *mit* mayo *und* sauce tomatée, parachevée par la modeste crème glacée cho-colatée.

Si ça se trouve le pop-corn est bénéfique à la santé.

Ce n'est ni plus ni moins que de la nourriture saine. Si je ne me goure, le hamster le boulotte. Or le hamster est plus sain que la salubrité à le zieuter galoper à l'infini sur sa petite roue sans raison valable, monter et descendre l'échelle à la vitesse de la bise, agiter la clochette, etc.

Tais-toi, cerveau! Je te donne le dernier avertissement.

Vingt minutes après Je vous octroie le conseil de potesse : ne cuisinez pas le pop-corn. J'ignore total ce qui survint, car je me conformai à l'instruction délivrée par le paquet, que je vous livre : jeter le pop-corn en poêle garnie à l'huile chaude. Résultat des courses, le maïs explose en veux-tu en voilà. Quelqu'un peut m'indiquer au juste comment le retirer du plafonnier?

De la perruque?

Du blair?

Du bas de bikini?

Angus me régale de la démo spéciale félidé qui consiste à traverser la cuisine à la doucereux, le ventre en quasi total contact avec le sol. *Le pourquoi* le félidé agit-il de la sorte? Je pose la question : *warum?*

Vingt minutes après Le monstre est passé au dévisagement de frigo.

Grelottement du grelot.

OhmonDieumonDieu. Le bigo. Je mettrais ma pogne à fractionner que j'ai le gloss qui s'est trissé. De l'autre lobe, si je procède au raccord, le Transalpin risque le raccrochement. Le génial, me voilà vomie au numéro cinq sur l'échelle hésitatoire.

Mézigue, la risette à la commissure et la voix plus grave que la gravité :

– Allô ?

– Georgia, tu as tourné transsexuelle ou quoi ? Il t'a appelée ?

– *Le négatif,* il n'a pas, Jas. Bien que tu t'en battes la mirette avec une patte de puce.

– Faux, sinon pourquoi te bigophonerais-je pour te demander s'il a appelé ?

– Je suis en ignorance.

– Ben, tu vois.

– Si ça se trouve tu me grelottes juste pour te réjouir du non-grelottement de Scooterino, connaissant tézigue.

– Ben, ce n'est pas le cas.

– Entendu. *Le merci* et *le au revoir.*

– Tu n'as pas envie de me parler ?

– Euh, ben, pas en immédiateté, Jas.

– Oh.

– Je raccroche le bigo.

Sur ces entre-fêtes, j'entends l'embryon de sanglot, suivi du dégoisement que voici en mode voix chancelante de petit format :

– Tom et moi nous sommes disputés pour la première fois hier soir.

Nom d'un labbe pomarin à facettes multiples.

Mézigue :

– Que se passa ? Craquos t'a-t-il insulté la chouette ?

Miss Frangette en mode tremblotant, mâtiné hoquetant :

– Non, mais il m'a demandé ce que je pensais du fait qu'il aille en fac au Pays-du-Hamburger-en-Folie. Et je lui ai répondu que je préférais rester chez les Grands-Brittons et m'inscrire à York. Alors il m'a dit comme ça que ce serait peut-être une bonne idée.

C'est quoi ce binz ?

Notre Seigneur. Je ne suis pas loin de connaître le total contenu du cervelet jasien et je vous le dégoise sans frais, je m'en passerais.

En résumé, Craquos veut faire bande à part au chapitre universitaire dans le dessein de vérifier si oui ou flûte Miss Frangette et lui font la paire.

Moi :

– Tu peux le laisser partir les mirettes closes. Sézigue n'est pas près de trouver la niaise de rechange pour courir le campagnol de concert avec lui.

La remarque pourtant *le riant* ne fait pas remonter la jauge à joyeuseté de la potesse.

Résultat des courses, je lui délivre la promesse de me dégobiller chez elle après le coup de bigo du Sublimo.

Que Notre Seigneur nous file le coup de paluche.

Une heure après Je suis à deux didis du dépôt de certificat de démence aggravée.

Grelottement de grelot

Bibi :

– *Le positif ! Le quoi* encore ?

C'est alors que j'esgourde sa voix.

– *Ciao*, euh, est s'il vous plaît Georgia en maison ?

Sézigue ! Loué soit Notre Seigneur *und* pilosité faciale surabondante !

Moi *mit* inspiration taille femme forte :

– *Le bonjour* et *le positif*, Georgia Nicolson au combiné.

Nom d'un hypolaïs pâle sur la touche. Comment se fait-ce que je blablate comme notre souveraine ?

Le Transalpin en hilaritude :

– *Ciao ciao,* Georgia ! *Bellissima !* C'est toi ! *Un momento per favore.*

S'ensuit une converse hors bigo, accompagnée du claquement sonore à forte connotation bécotale.

Le gus serait-il en séance bécot ?

Bécotant d'aucune en me blablatant ? Même pour un Mozzarella, le mariage bécot-converse penche sérieusement vers l'émancipation.

Lui en retour soudain vers mézigue :

– Oh, *cara, mi scusi,* mes frères, ma famille, tout le monde va à la plage. Ce soir, on fera le… comment dites-vous déjà ? Le feu de doigt.

Le feu de doigt ? Vu de ma fenêtre, je trouve la distraction peu aimable pour le proprio du didi. Si ça se trouve, le feu de doigt est la réminiscence du jeu de cirque dont le Romain raffolait.

Scooterino en émission de rire :

– Toi plus parler. Moi dire quelque chose pas comme il faut ?

– *Si.*

L'hilarité chope nozigue. *Le trop bien*, la bavette multilinguée.

Sézigue :

– Je t'ai manqué ?

– Oh, *muchos* et *muchachas.*

Le gus repart en hilaritude. Désopilation à tous les étages.

– Toi aussi, tu m'as manqué. Le camping était bien ?

Oh, oh. Zone glissante. Garder à l'esprit la règle formelle du ne *couic* blablater du désastre campinguesque *und* du s'en tenir au sujet de politique internationale et ainsi de suite.

Moi :

– Ce fut plutôt *nullo.*

– Raconte-moi.

– Ben, aucun événement *le remarquable* ne se produisit. Euh... L'Abjecte se cassa la binette sur le goguenot de cambrousse qui lui-même chut, révélant la Mère Wilson en plus simple pas pareil, prenant la douche, le savon enfilé sur la cordelette. Postérieurement, Herr Kamyer posa séant sur la rotule d'icelle et *couic* d'autre ne se passa.

Le Transalpin :

– Ma copine est, comment dites-vous, folle.

Oooooooooooooooh. Le gus me traite de folle. *Le trop extra.*

La converse dure le bon siècle. Pour tout discourir, elle se résume à mézigue lui blablatant la phrase et lui requérant le sens d'icelle. Je suis en frustration de non-maîtrise de l'idiome mozzarella. De toutes les manières, l'échange au bigo affiche le surcroît de difficulté car je n'ai pas son faciès sous la mirette. Le gus m'interroge alors sur la date à laquelle je projette de me vomir à Rome.

Bien vu la taupe.

Je n'ai même pas encore exigé de la parentèle la modique somme de cinq cents livres nécessaires au déplacement. Une supposition qu'elle cesse de me casser les arpions avec ses histoires perso, une éventualité que je trouve l'ouverture pour déposer la demande de fonds. Non désireuse d'avouer le manque de subsides au Sublimo, je lui dégoise ce que voici :

– *Le probable* dans *due* semaines.

– C'est long. Si seulement tu étais avec moi, on pourrait... Comment vous dites déjà ? Se bécoter. Et *mio* toucherais toi et sentirais bouche de toi sur mienne. Et regarderais ton visage ravissant. Je pensais à tes yeux magnifiques. Ils sont tellement beaux que le cœur ils me font fondre.

Nom d'un gobemouche à demi-collier encarté. Le

Transalpin aurait-il tourné Billy Shakespeare ? Ou plus exactement Billio Shakespeario, auteur des célèbres pièces *MacFessio und King Leario*.

Tais-toi, cervelet. Sur-le-pré, à la secondo. Stopio, sur-le-champo. Nonobstant icelui s'entête(o).

Je suis comme qui dirait sur un petit cumulus fourré à l'amuuuuuuuuur. *Le trop dommage,* les quatre litres de soda que j'ingérai dans le but de garder la vigueur pour supporter l'attente du coup de bigo se rappellent à mon mauvais souvenir.

J'imprime la pression à mon popotin par le truchement du tabouret, mais les digues menacent de lâcher. Un détour par le QG de la tartine s'impose. Néanmoins, étant octroyé que mon Vati est trop rapiat pour équiper la cambuse du bigo sans fil, je suis ni plus ni moins que coincée. Je n'ai nulle envie de palabrer à Scooterino ceci : « Scuse, mais je suis en obligation de me vomir au service pipi et Cie », au risque d'un nouvel incident linguogène international.

Résultat des courses, je lui dis ce que voici :

– On sonne à la lourde. Tu peux conserver une seconde ?

– *Si, cara.* J'attends.

C'est là que plus curieux que la curiosité, la sonnette retentit. Je ne vous raconte pas le chocottomètre. Je me demande qui ce peut être. De toutes les manières, le visiteur n'est pas près de pénétrer en cambuse. Je m'esquive en QG de la tartine. Mais qu'esgourde-je ? De la vocifération.

– Georgia, ouvre la porte ! Je sais que tu es là.

Mon Grand-Vati ! Un bonheur n'arrivant jamais seulabre, il est en compagnie de Libby *und* Maisie. Notre Seigneur.

Impossible de garder la cantonade en extérieur longtemps sans risquer la confection de l'échelle tricotée main afin de pénétrer en cambuse par ma fenêtre de chambre. Et si je tentais la persuasion de se trisser sur leurzigue ?

Le silence de petit format s'installe, suivi de l'intervention de mon Grand-Vati :

– On a le manger.

J'avise alors le sandwich passer par la fente à missives.

Mézigue en reprise de bigo :

– Massimo, je suis obligée de raccrocher. Mon Grand-Vati me fourre la boîte aux lettres au sandwich.

Le Transalpin s'esbaudit. Nonobstant, seul.

Sézigue :

– Appelle-moi quand tu peux. Le *telefono* à *Roma* est : 755 56 66 61 21.

S'ensuit du bruit de bécot dans le combiné *und* plus *couic*.

J'oublie même de lui demander la date de notre prochaine entrevue bigophonique pour cause de mécontentement majeur à l'égard du tricentenaire atteint d'aliénation patente. Sans compter que je veux recopier le numéro de grelot avant qu'il ne quitte mon cervelet.

Cinq minutes après Nul quidam ne le croira, je sais, mais Maisie a tricoté la minijupe *und* couvre-chef assorti à Libbounette en guise de vêture de donzelle d'honneur.

Une heure après Les siphonnés ont mis les voilages. Merci Notre Seigneur.

Quatre minutes après Entendre la voix de Scooterino m'a remis les pendules à plat au chapitre syndrome allumage *und* cohorte de rosissement popotal.

Je remise le bécot inopiné *mit* la Marrade en placard bécotal au sous-sol de mon cervelet. Placard bécotal dans lequel je ne fourrerai plus jamais le blair. J'en ai fermé la lourde à clef, que je jetai.

Pour ne couic vous cacher, je ne la jetai point, mais je la rangeai en lieu impossible à localiser.

Une minute après Je précise que le placard bécotal jouxte un autre où j'entrepose le rebut gussal, style Mark Grosse-Bouche. Sa pose de paluche sur mon nunga-nunga est sur l'étagère du haut. Épisode que j'oubliai et ne retrouverai jamais.

Une minute après Sur l'étagère du bas réside le désastre Peter le Bulot. Beurk à la puissance dégoût.

Une minute après En vicinalité du susdit placard, j'ai la commode renfermant le cliché de Robbie, le Super-Canon d'origine. Plus étrange que l'étrangeté, je n'ai pas la moindre *news* de sézigue depuis que je l'ai comme qui dégoiserait largué. Pourvu qu'il ne réside pas sur l'égouttoir de l'amuuuuur. De l'autre cloison nasale, ce serait une première. D'habitude, c'est votre serviteuse qui s'y vautre.

Trente secondes après Refermeture de tiroir.

Dix secondes après Je me demande s'il ressent la méga chiffonnade à mon endroit. Je n'ose sonder Tom sur le topo. D'autant que Craquos est en passe de passer ex-Craquos.

Une minute après J'espère que ma non-compagnie ne le plonge pas en tristessitude. J'abomine provoquer la chouinade du gus. Nonobstant, je préfère qu'il s'y colle plutôt que mézigue.

La vie exhale parfois la cruauté.

Surtout en cas de sensibilité *sehr sehr* développée comme tel est mon cas.

Deux minutes après J'ignore que faire de ma personne. Je dégage le tropplein de fermentation, conjuguée tensionitude *mit* larmichette de troublitude.

Une minute après *Warum* ne pas combler le temps en apprenant le vocable mozzarella en vue de mon déplacement au Pays-de-la ? Au bout du couple de jours, n'être en mesure que de blablater *cappuccino* risque d'afficher le déficit de converse.

À ses dires, Sublimo est de sortie ce soir.

Cinq minutes après Est-il adéquat que le Transalpin se divertisse pendant que votre serviteuse poireaute telle la moinesse en cambuse de moinesse. Tel est l'inconvénient du statut de fiancée officielle de la rock star, le poireau.

Si ça se trouve, je vais finir par me vomir chez la sage femme de la futaie l'esgourder divaguer sur son Craquos.

En rendement chez Jas

Une supposition que je déploie l'affabilité à son endroit, une éventualité qu'elle brise sa tirelire afin de me fournir les subsides nécessaires à mes retrouvailles *mit* Scooterino.

À moins que je ne lui dérobe la cagnotte.

En cambuse de Miss Frangette

La potesse affiche la bouffissure de mirette déclarée.

Mézigue en pose d'abattis sur son épaule :

– Figure-toi, ma petite Jasounette, que le préférable, en cas de tourment, est de consacrer la pensée à autrui plutôt qu'à sézigue. Or donc par le fait, le bien-être te viendrait assurément si tu me procurais le café lacté accompagné du roulé à la confiture et que je te dressais le topo complet de ma vie.

Je n'en suis qu'au début quand la Mutti de Jasounette m'interrompt pour annoncer le coup de grelot de Rosie, coup de qu'elle nous propose de prendre en chambre.

Jas se propulse dans celle de ses vioques et je me cale confo au milieu de la gent chouettale de la sienne, chacune esgourdant la converse sur combiné séparé.

Une supposition que je réclame le combiné perso en chambre à Vati, une certitude qu'il est victime du spasme de nerfs et éructe la billevesée telle que voici : « Pourquoi ne te greffes-tu pas directement un téléphone sur l'oreille ? » Et ainsi de suite.

Je ne suis pas surprise que Mutti partage l'intérêt en faible quantité avec sézigue. Le plus ahurissant est qu'elle en partage.

Roro :

– *Le bonjour*, les épatantes. J'ai l'excellente idée. Que dégoiseriez-vous d'inventer la chorégraphie en vue de la séance DJ de Sven ? Ne serait-ce pas *le extra und* poilogène ?

Bibi :

– *Le positif,* je blablaterais même plus que ce serait *le magnifique,* conjugué formidable, à forte teneur en beauté.

Jas :

– D'accord, mais à condition que la gigue ne soit pas idiote.

Déclenchement du rire de hyène de Roro *und* votre serviteuse.

Moi :

– Adoptons le thème nordique. Notre répertoire comporte moult gigues des grands froids, dont le « tout schuss sur le disco viking » *und* la « danse du bison ». *Warum* ne pas en inventer une autre ?

Rosie :

– J'approuve des deux paluches. La minijupe de fourrure et la moufle d'esgourde pourraient convenir à foison.

De retour en cambuse

21 h 00 Le baromètre de la joyeuseté de Jasounette est revenu à de meilleurs termes, d'autant que je lui promis le plan vis-à-vis de Craquos.

Je renonçai à amener le sujet tirelire sur la carpette, nonobstant je notai la présence de la susmentionnée sur l'étagère en vicinalité de paddock. Derrière son assortiment de mollusques.

21 h 19 J'ignore total comment il a pu m'échapper jusqu'à l'heure de maintenant que je suis ni plus ni moins que conçue pour la scène. La chose est plus évidente que l'évidence que je suis la ballerine de rock star, même pour le quidam atteint de cécité *und* sous traitement cécitant. Je le déclare tout de go tel sera mon état. Voyageant de-ci *und* de-là *mit* groupe dans le dessein de faire profiter le monde entier de mon « tout schuss sur le disco viking » *und* ainsi de suite. La commodité au rayon idylle est flagrante, avec Scooterino au poste de barde des Stiff Dylans *und* mézigue à celui de ballerine, nous pourrons parcourir le globe de l'amuuuuuur.

BALLOTTÉE PAR LA MACHINE
À LAVER
DE L'AMUUUUUUUUUR

En embryon de soirée

Scooterino ne m'a pas repassé le coup de bigo. Selon le protocole, c'est au tour de bibi de lui passer le coup de au numéro donné par sézigue. Telle serait la procédure si d'aventure le Transalpin était la fille, or le gus ne l'est point, et virgule, n'en déplaise à la Marrade.

Trêve de Marrade.

L'éventualité de le grelotter me plonge en timidité. Le magazine de Mutti préconise de se montrer dure à cuire plutôt que molle à. Et ajoute le conseil avisé que voici : « Ne jamais bigophoner le gus. C'est sézigue qui s'y colle. » Résultat des courses, me revoilà ballottée par la machine à laver de l'amurrrrrrrr.

Ooooooooooh, quel est l'agissement idoine ? Lui adresser la carte postale ?

Cinq minutes après Mais une supposition que je sorte quérir la susdite, une éventualité que le Transalpin me passe le coup de biniou pendant l'absence. La mère de famille en aurait-elle parmi ses tiroirs ?

En chambre Muttitale

Je vous le déclare sans ambages, vivre dans cette cambuse ressemble ni plus ni moins qu'à résider en sac à mimine de dévergondée. La carte, je trouve, mais elle affiche la plaisanterie graveleuse que je me refuse à répéter par souci de préserver les esgourdes chastes. Quel est le problème avec la parentèle ?

Deux minutes après Nonobstant, même si je parvenais à envoyer la carte à sézigue, que préciserais-je à la case date de mon arrivée ? N'étant toujours pas parvenue à mettre le sujet subsides d'équipée sur le tapis *mit* mes vioques.

Une minute après De toutes les manières, l'idylle n'est pas ma seulabre préoccupation. Scooterino devra comprendre que ma carrière passe parfois en *first*. Le programme de cette nuitée affiche la répèt' de chorégraphie chez Roro. Conséquemment l'enfilement du collant *ad hoc* s'impose.

Dimanche 7 août

Hier, je fis l'arpion de grue dans le dessein de choper le préposé, mais il n'avait pas la missive. Je me suis enquise auprès de lui de l'éventualité d'une dissimulation de ma correspondance par sézigue, mais il n'a pas daigné répondre.

Rerépèt' cette soirée en vue de la séance DJ du géant des steppes glacées. Je suis en total fourbure *und* l'esclave de mon art, par le fait.

21 h 45 À force de giguer, j'ai chopé du harassement. Bien que l'après-midi soit toujours de mise, j'envisage la glissade en paddock.

En paddock

Sven débarqua en pleine répèt' chez Roro, se ruant sur elle, telle la sangsue, dans le but de lui administrer le bécot.

La cantonade se sentit plus teneuse de chandelle que le chandelier.

En cheminement de retour, Jasounette blablata ce que voici :

– Ça m'a rendue un peu jalouse.

J'émis le *tss tss tss*. Nonobstant, la jalousie s'était également emparée de ma personne.

21 h 50 La lourde d'entrée manque le dégondage, annonçant le retour de Vati. Le malheur n'arrivant jamais seulabre, il est en compagnie d'oncle Eddie, plus connu sous le blaze de Tête d'Œuf l'Effeuilleur depuis que le déplumé retire sa vêture sur scène. Le plus étonnant est que l'homme reçoit le salaire pour remerciement de ses mauvais services.

Vati en mode vocifératoire :

– Oyez ! Vous qui recherchez les sensations fortes, Vati et l'Effeuilleur sont de retour !

Dix minutes après J'entends du grésillement de saucisses en poêle *und* en cuisine, accompagné du miaulement de félidé en passe de franchir le mur du son. À tous les pains, le père de famille et son poteau dégarni, nonobstant pas du popotin, attisent la convoitise de Super-Matou *und* Mini-Bigleux en préparant la tonne de susmentionnées.

Les vioques passent à présent à l'ouverture de canettes de bière.

À cette micheline-là, aucun ne sera en mesure de repasser la porte de la cuisine.

Cinq minutes après Pas impossible qu'ils aient balancé la saucisse en jardin et aux minous, car le miaulement mâtiné crachat de chat se fait ouïr à tout va.

Ainsi que l'aboiement.

Und la criaillerie.

Rebelote. Le Père Porte-à-Côté emprunte le sentier de la guerre.

Je jette une mirette furtive en extérieur, dissimulée derrière mon voilage, de crainte d'un pointage du didi de la honte vers mézigue.

Je confirme, le Père Porte-à-Côté a revêtu la tenue de combat (pantoufles *und* peignoir) et hurle à farcis poumon, ce que voici :

– Sors d'ici ! ! !

Honnêtement, l'homme est ridicule. À tous les bourre-pifs, Angus va percuter que le voisin veut participer à la saucisse-party *mit* ses canidés à bouclettes.

Une minute après Bien vu, la taupinette. Angus a sauté le muret du jardin et dispute la lutte de traction à la saucisse *mit* Blanchinet. Le Père Porte-à-Côté file chercher son balai.

Je mets fin au zieutage dans le but d'éviter d'être exposée à l'exhibition fortuite de l'arrière-train du voisin dans le feu de l'action.

22 h 15 Vati et Tête d'Œuf se payent la tranche de rigolade en salon, gloussant tel le dindon.

Vati vociférant :

– Georgia, ma colombe, ton père et son ami sont aux prises avec un sujet très sérieux. Serais-tu assez aimable pour aller leur quérir deux bières dans la cave à vin, que tu connais mieux sous le nom de frigo ? Je t'en remercie infiniment.

Mézigue sur le même mode :

– Tu peux toujours galoper, ô toi, enrobé du croupion.

Vati :

– Je te donnerai un billet de cinq livres.

Comme si le graissage de patte allait me faire tourner esclave perso de sézigue.

Deux minutes après En intrusion en salon, je découvre Vati échoué sur le canapé telle la baleine affichant la pilosité faciale.

Oncle Eddie me décoche le clin de globe oculaire.

Vati :

– Dis-moi, Eddie, à quoi ressemble ta vie depuis que tu es un sex-symbol ?

Oncle Eddie *mit* rototo (charmant) :

– Écoute, Bob, elle a ses hauts et ses bas, comme toute vie de star. L'autre soir, par exemple, je me suis fait alpaguer par un groupe de femmes au *fish and chips*, après le spectacle. Je ne te cache pas que c'était très agréable. Elles m'ont offert des frites et un œuf au vinaigre. Mais de l'autre main, je me suis aperçu que je m'étais encore fait voler ma plume de caleçon. Et je te signale qu'elles sont faites main.

Oh, *le trop dégoûtant*. Cette fois, la cambuse m'a exposée à de la débauche toutes catégories : à forte teneur en moisi, de félidé, d'esgourde et maintenant de déplumé du casque !

À propos de félidé, je me demande où Super-Matou et sa Naomi sont encore fourrés. Idem pour leur rejeton, Mini-Bigleux.

De retour dans la chambre Le silence est louche. Jeter de mirette dans le jardin des Porte-à-Côté par le carreau. Pas un coussinet parental en vue. En revanche, j'avise Gordy.

Quatre minutes après Je ne vous dissimule pas ma crainte que Mini-Bigleux ait la mauvaise fréquentation. Félidé junior partage le jeu *mit* les canidés à bouclettes et, je n'en crois pas mes arpions, il pousse même le bouchon jusqu'à mâchouiller le nonos en caoutchouc des deux décérébrés. Je suppute qu'il s'agit de la passade d'ado qui lui passera.

23 h 29 Descente en cuisine dans le but de quérir le verre d'eau, garni au roulé à la confiture *und* de juguler la famine nocturne dans le même temps. Intrusion de Mutti, la bajoue plus vermillon que le carmin. Je mettrais ma paluche au sécateur que la rubéfaction maternelle est consécutive à l'abus de *vino tinto*. À moins que la femme, en toute logique, ne ressente la hontosité d'être sézigue. La mère de famille opère le détour par le salon où Vati *und* oncle Eddie répètent un ersatz de quadrille destiné au spectacle de Chauve Ier. Je ne me résous pas à passer le pif dans la pièce en vue de zieuter le spectacle de désolation. Je dégoiserais juste ceci : les deux ballerins giguent au son de Nana Mouskouri.

Mutti gicle du salon, non sans avoir claqué la lourde, et file en paddock à la vitesse de la tornade sans passer par la case *le bonsoir*.

Vati en sortie de pièce à mézigue :

– Susceptibilité de femme !

Minuit Quitter ces lieux s'impose. Retrouver Scooterino, je suis en devoir de. Vati m'a glissé le billet de cinq livres en remerciement de mon esclavage. Conséquemment, il ne me reste plus que quatre cent quatre-vingt-quinze livres à dégotter.

Je me demande si le père de famille goberait qu'il me promit le billet de cinquante livres en échange de sa bière.

Lundi 8 août

8 h 30 Je ne me fais toujours pas au fait de profiter des joies de mon paddock pour moi toute seulabre. Je n'irai pas non plus jusqu'à blablater que Libby me manque, nonobstant je sens le vide à l'emplacement où résidait le postérieur glacé de la douce enfant. Même Angus a découché cette nuitée. La saucisse l'aura sûrement trop lesté pour pouvoir se hisser en étage.

En cuisine

Le trop génial, Mutti *und* Vati ne s'adressent plus la parole. *Bis repetita !* L'autorité parentale est décidément trop infantile.

Vati en clameur depuis la chambre :

– Connie, tu aurais vu mes caleçons ?

79

Pour toute réponse, la mère de famille continue de tartiner sa tartine.

S'ensuit le silence de longue durée, bientôt rompu par le père de famille :

– Allô ? Il y a quelqu'un ?

Je décoche l'œillade à la femme qui mastique comme si de couic n'était.

Moi :

– Mutti, je souhaite deviser des dates de mes vacances transalpines avec tézigue. Tu te rappelles notre accord, n'est-ce pas ? Départ la semaine limitrophe. À ton avis perso, quel est le plus idoine, voyager le vendredi ou bien le samedi ? Le samedi présente l'avantage d'un possible transport à l'aérodrome en automobile par Vati. Le samedi arrangerait les bidons de tout un chacun. Tu crois que Vati pensera à louer l'auto raisonnable en vue d'éviter le risque *und* la honte ?

Le père de famille toujours vociférant du premier :

– Connie, arrête de faire l'idiote. Je vais être en retard. Je ne trouve aucun de mes caleçons.

Mutti à bibi :

– Ne t'en fais pas pour la voiture, ni pour le reste.

– *Le merci,* Mutti.

– Tu n'as aucune raison de t'en faire parce que tu n'iras nulle part.

De quoi ?

Sur ces entre-fêtes, Vati pénètre en cuisine, la serviette d'ablutions enroulée autour de ce que l'homme appelle de façon désopilante sa taille.

Lui à Mutti :

– Où sont mes caleçons ?

La mère de famille pointe le didi vers la poubelle de cuisine.

Je ne vous raconte pas la crise du père de famille. Du jamais zieuté chez la population nord-européenne.

Le moment n'étant pas adéquat pour une demande de dépôt en auto à l'aérodrome et des cinq cents livres destinées à mes menus frais de déplacement, je retourne *fissa* en chambre pour plus de sûreté.

Un quart d'heure après Note, si la venelle entière est au jus du désastre couvre-fesses de mon Vati *und* de l'instabilité cervicale de Mutti, elle ne s'en portera pas plus mal. Je dégoiserais même plus que l'affaire contribuera notablement au resserrement du lien de voisinage.

Nonobstant, je continue de cogiter que Vati gagnerait à apprendre que, comme blablaterait notre chère dirlo, la Mère Fil-de-Fer : « La grossièreté est l'idiome du bas-de-plafond. »

Mardi 9 août

22 h 00 Miss Frangette manque me jeter en démence à force de dégoiser de son Craquos. La fille espère que le gus oubliera son souhait de fac perso *und* espace libre que pour sézigue.

Personnellement, je suis partisane du non-réveil du félidé qui sommeille.

Nonobstant, Gordy est en désaccord avec mézigue. Le chat me soucie.

Pas plus tard que tout à l'heure, je sonnai l'heure du manger en tambourinant sur l'écuelle de la cuillère quand le Père Porte-à-Côté passa la caboche par-dessus la haie pour m'informer que Gordy roupillait en niche des Frères Dugenou.

Mézigue :

– Je crains que la sortie du félidé ne soit total impossible. Vos canidés devront dormir en cambuse.

Ce à quoi le voisin irascible donne la réponse plus étrange que l'étrangeté :

– Ils sont tous les trois dans la niche.

Nom d'un sizerin blanchâtre en pleine spéculation.

Mercredi 10 août

Pigé. La semaine s'est écoulée depuis ma converse *mit* Scooterino, conséquemment je lui adresse la carte postale à forte teneur en super. Je me suis procuré l'exemplaire représentant le bébé chat repêché de l'assiette remplie de spaghettis par le truchement de la louche. À mon avis perso, la carte dégage le max d'excellence. Allons-y.

Ciao, Massimo,

C'est mézigue. Ouïr ta voix fut sehr le trop bien.

Que personne ne bouge, si ça se trouve le Transalpin ne connaît pas le sens de *sehr* ni même de *le trop bien*. Nom d'une cisticole des joncs flambant neuve, la rédaction de la carte risque de me prendre le reliquat de mon existence. Remettons l'ouvrage à demain.

Jeudi 11 août

Je ne cesse de poser la mirette sur le numéro de bigo que Scooterino me fila. Que lui dégoiser si d'aventure je le grelottais ? Et de toutes les manières, si le gus raffolait autant de mon globe oculaire qu'il le proclamait, *warum* ne se précipite-t-il pas sur le combiné ?

Dej' Bien que ballottée une fois de plus par la machine à laver de l'amuuuuuuuuur, je ressens l'impatience de me vomir à la session DJ du géant des steppes glacées, pas plus tard que samedi.

La répétition finale de la chorégraphie de scène est programmée pour ce soir chez Roro. Honor *und* Sophie, les apprentis membres du Top Gang, vivront le moment unique par l'entremise de la participation à la répèt'. Nonobstant, étant octroyé que la scène est *le trop exiguë und* le protège-esgourde rare, les deux novices ne seront pas du spectacle véritable. Telle est la dure loi du show-biz.

Nous comptons régaler l'assistance de notre « danse du bison » que le monde entier nous envie (je vous ferais dégoiser que nombreuses furent celles qui eurent le privilège de la zieuter au Stalag 14), ainsi que de la « matelote viking », une première mondiale en l'honneur de la prestation de Sven.

La gigue constitue un nouveau départ pour le Top Gang en raison de l'exigence de costume *und* accessoire. Comme de juste, les potesses et votre serviteuse eurent déjà recours à l'accessoire. J'en veux pour preuve la corne du « tout schuss sur le disco viking » *und* de la « danse du bison ». Sans oublier la gomme à mâcher de la « danse du popo de pif » (soit dégoisé en passant, on l'a rayée du programme de samedi, Jools faisant judicieusement remarquer que le bécoteur éventuel pourrait éprouver le dégoût). Or donc par le fait, comme je le blablatai, nous fîmes usage de l'accessoire, mais jamais en conjugaison *mit* le costume.

La « matelote viking » nécessite le protège-esgourde *und* la moufle, en raison de l'hiver viking *sehr* le frisquet de la nouille. Sans oublier la pagaie de petit format.

Chez Rosie

En soirée Jas fait preuve de la mauvaise humeur à fort coefficient irritogène.

Surtout que Roro s'est dégobillée à l'échoppe de déguisements afin de se procurer le protège-esgourde qui, je le précise, porte la pampille et le toutim. Miss Frangette refuse l'enfilage du susdit qu'elle trouve « ridicule ».

Mézigue :

– Jasounette, une supposition que nous renoncions à l'activité au prétexte qu'elle est ridicule, une certitude que j'ignore où nous serions rendues.

La potesse refusant de descendre du tabouret de la chiffonnade :

– De quoi blablates-tu au juste ?

Il est *sehr* épuisant d'expliquer le pourquoi du comment à la demeurée garantie sans pesticide, nonobstant il semblerait que ce fût mon emploi dans la vie.

– Ma petite potesse, blablaterais-tu que le germain est l'idiome ridicule ?

La question plonge la fille en tripotage de frange profond (que le premier quidam sensé ferait entrer en catégorie « ridicule », mais je fais l'impasse sur la remarque). Sézigue soupèse manifestement le topo.

Moi :

– Active, Jas.

– Ben, c'est une langue étrangère parlée par des étrangers. Je ne vois pas ce qu'elle a de ridicule.

– Jas, réveille-toi, ma vieille, le Germain ose dégoiser

spangleferkel. Et je ne te blablate même pas du bécot qu'il traduit par *knutschen* ! Tu percutes ?

Résultat des courses, la potesse enfile le protège-esgourde *und* moufle.

Une heure après La « matelote viking » est déclarée officiellement par-faite.

(Une remarque au chapitre costume : le protège-esgourde se porte sur la corne de bison. Il est impératif de garder la corne en tête, au risque de provoquer la moquerie). Or donc par le fait :

Introduction musicale saluée par le truchement du salut viking, pagaies pointées vers les cornes.

Au cri de « Thor ! » bond tournant vers la droite.

Pagaie, pagaie, pagaie, pagaie sur la droite.

Au cri de « Thor ! » bond tournant vers la gauche.

Pagaie, pagaie, pagaie, pagaie sur la gauche.

Pagaie, pagaie, pagaie, pagaie sur la droite.

Bond tournant de face (conjugué air menaçant viking).

Prompte pagaie à droite, prompte pagaie à gauche x 4.

Bond tournant vers sa collègue.

Croisement de pagaie x 2.

Bond tournant de face et glissade de matelote enle-vée x 8 (conjuguée risette guillerette viking).

Puis (où la complexité est de mise) pagayage entre-lacé ! Pagaie de part et d'autre de sa collègue *und* l'une après l'autre, dans un sens *und* dans l'autre, conjugué zieutage à droite *und* à gauche (air inquiet du Viking à la recherche de nouveaux territoires).

Pagaie de retour à son emplacement d'origine.

Pagaie sur place jusqu'à ce que l'ensemble du corps de ballet ait repris sa position. Puis fermeture des mirettes (en vue de l'effet nuit du pagayage).

Pagaie à droite, pagaie à gauche x 2. Suivie d'ouverture des globes oculaires taille soucoupe au cri de « Terre ! ».

Chute sur rotule et jeter de pagaie en l'air (derrière sézigue, pas devant, dans le dessein d'éviter la blessure parmi le public nombreux).

Vendredi 12 août

En chambre

Cher Massimo,
Ciao. Hier soir, les potesses et mézigue avons peaufiné notre nouvelle «matelote viking». First, on s'est un peu mélangé les arpions mit la pagaie. Subséquemment Roro manqua perdre l'œil. Nonobstant, rendu à la glissade de matelote enlevée, on…

Que nul quidam ne bouge. Si ça se trouve le Transalpin ne connaît couic à la « matelote viking » *und* pagaie *und* glissade. Nom d'une rousserolle effarvatte sous stéroïdes, l'idylle à caractère international est *sehr* exténuante.

Samedi 13 août

Décision prise. Une supposition que je n'aie pas de *news* du Sublimo le 15, une certitude que je reçois cinq sur cinq le message balancé par le petit Jésus, à savoir : décrocher le bigo.

Note, j'ignore total quoi blablater au Transalpin et au chapitre date de mon arrivée chez sézigue. Méga trouvaille sous le coussin du canapé, une livre cinquante. Ce qui aurait pu monter mon pécule de billet à six livres cinquante si je n'avais fait l'acquisition d'un nouveau gloss (parfum framboise-vanille), par le truchement de l'inadvertance.

Lundi 15 août

10 h 30 Une deuxième carte du Sublimo ! Bingo et trois fois bingo ! Et je dégoiserais même plus bingo.

Je suis total envahie par l'allégresse. La carte est partie du Pays-de-la-Mozzarella-et-tomates-à-la au siècle dernier. Résultat des courses, l'acheminement de la missive chez le Transalpin affiche le même déficit de performance que chez le Grand-Britton.

Deux minutes après Je mettrais ma caboche au grille-pain que le préposé a fomenté la vengeance en représailles du trimballement de sacs pesants. À tous les coups, tel est son agissement : l'homme fait celui qui délivre le courrier, alors qu'en réalité réelle, il a la hutte de jardin plus pleine que le plein de correspondance.

Bref.

La carte représente le bol de spaghetti au recto et ceci au verso :

Ciao, cara Georgia,
Je supplie toi de venir me voir. J'ai la faim de toi.
Baccii.
Massimo

Ouaouh, ouaouhnard et ouaouphile par le fait !

Cette fois, plus de tergiversation. Dès que l'opportunité se présente de convaincre la parenté d'allonger la soudure, je me trisse retrouver mon gus de compagnie transalpin.

Être en possibilité de blablater ce qui suit est trop super. Au lieu de dire : « Mon gus de compagnie du collège de Foxwood qui besognera selon toute vraisemblance en banque, passé vioque », je suis en possibilité d'affirmer : « Mon gus de compagnie transalpin dont l'avenir rime *mit* rock star universellement connue ! »

Yessssssssssss !

Mardi 16 août

Plaidoyer chouinogène de ma cause devant Mutti dans le dessein d'obtenir l'espèce.

Réaction de la mère de famille :

– Ne sois pas stupide, Gee. Je n'ai pas cinq cents livres et, même si je les avais, je ne te les donnerais pas pour aller voir je ne sais quel type à Rome, fût-il irrésistible. Tu peux avoir dix livres. Fais-les durer.

Je la hais de haine haineuse.

Mercredi 17 août

Gravissement de tous les degrés de l'échelle de la chiffonnade, du numéro un (battage glacé) au numéro six (simulation de la non-esgourdance), et Mutti ne percute toujours pas.

14 h 30 Nom d'un pouillot à grands sourcils au bord du gouffre, la vie n'est ni plus ni moins qu'une zone dégussée. Pas le moindre signe de Dave la Marrade, ni de Super-Canon. Même les Saindoux Brothers ont déserté. Ce qui dégage *le positif*. Mais penche vers le bizarre. Idem au chapitre Craquos qui s'est trissé le couple de jours visiter ses poteaux en université.

La tartitude de première tarte est de mise.

Et la chaleur plus chaude que le chaud.

Je me mettrais bien la guibole à bronzer en jardin si Angus n'attendait pas précisément que je sois installée méga confo pour entreprendre illico des travaux d'excavation en vicinalité de ma personne (non par l'entremise de la pelle, mais de la patte. Une supposition que le félidé ait recours à la pelle, une certitude que le creusement dégagerait le taux inférieur de lassitude, mâtinée irritation).

MATELOTE VIKING
À TOUS LES ÉTAGES

Gigue des steppes glacées en l'honneur du géant des

18 h 30 En chambre. Prévision de retrouvailles *mit* le Top Gang à la grosse horloge. Miss Frangette fait étape chez mézigue en vue de faire le trajet de conserve avec bibi et dans le dessein de la détourner du manque au chapitre Craquos. Notre Seigneur.

Le protège-esgourde *und* moufle *und* corne se transportent en minibagage assorti que Roro dégotta itou à l'échoppe de déguisements. L'échoppe serait le fournisseur officiel de Sven en vêture. Nom d'un astrild ondulé assoiffé de sang.

18 h 45 Au fin fond du tréfonds de mon cervelet, je redoute que Super-Canon fasse l'apparition. Je n'ignore point que le gus n'a pas regagné le Pays-du-Kiwi-en-Folie pour la bonne raison que j'en aurais entendu blablater au bulletin d'infos de Radio Jas. Même sans avoir fait la demande.

18 h 50 Arrivée de Jas, munie du minibagage.

Il faut le dégoiser sans ambages, le susdit exhale la nullité à pleins poumons, à grand renfort de rose *und* brillance.

Miss Frangette :

– On dirait le bagage de fée.

Pour toute réponse, je lui décoche le zieutage sous-esgourdant qu'elle est atteinte de démence aggravée, mais la fille ne pige pas, trop occupée à être la mono-polisatrice de tirelire.

De toutes les manières, je m'en bats la mirette avec une patte de blatte d'avoir à me trimballer de-ci *und* de-là, le minibagage ridicule de fée à la mimine et la corne en tête, car je n'ai nul besoin d'impressionner le quelconque gus, puisque j'ai filé l'exclusivité de mon battant à Scooterino.

19 h 00 Youpi et tierce youpi ! Autorisation de dormir chez Jas obtenue. Et je ne blablate pas par là que la parentèle m'octroie le permis de. À l'heure de ces jours-ci, elle ne remarque même pas si sa progéniture est en ou hors cambuse, trop obnubilée par sa vie perso.

Mézigue, en passant :

– Je sommeille chez Jas ce soir.

La parentèle :

– Entendu.

C'est Miss Frangette qu'il me faut convaincre, sachant que la potesse n'a cessé de monter *und* descendre de sa chiffomobile toute la semaine. Je lui délivre la promesse de ne pas lui tripoter la chouette ni de lui dérober la tirelire et l'assentiment d'icelle j'obtiens.

De toutes les façons, je ne vois pas l'utilité de rentrer en cambuse. Vati est de sortie permanente *mit* oncle Eddie *und* poteaux enrobés, en vue d'assister au concert ou faire le zouave en ridiculomobile. Idem au chapitre mère de famille qui ne met quasi plus les nougats en cambuse car Libbynette réside toujours chez Grand-Vati. Conséquemment, à part le félidé (qui est également de sortie à tout bout de pré), je suis l'orpheline.

En Bouddha Bar

20 h 00 L'ambiance dégage *le super* et la foule, *le beaucoup*. J'avise quelques accointances *und* tripotées de jouvencelles du lycée Notre-Dame.

Jasounette est total débordée à faire la fille à qui ne chaut de savoir si Craquos se pointera sur zone ou pas. Elle suppute qu'il est rentré de chez ses poteaux, mais déclare que la fiertitude l'habite trop pour s'en enquérir. Perso, je ne compte pas non plus mettre le sujet Craquos sur la carpette ni interroger la potesse au chapitre Super-Canon, ne voulant courir le risque de me fader de la divagation à base de « regrettées années campagnol » *und* autres joyeusetés que sézigue *mit* Craquos partageaient au camping en vicinalité de rivière et ainsi de suite, ou va savoir à quoi les deux s'adonnent. Au bécot de paluche, en toute vraisemblance. Nonobstant, je refuse de consacrer la pensée au susdit.

En QG de la tartine

Ellen crève le plafond du n'importe quoi à caractère hésitatoire *und* à force d'interrogations au chapitre venue de Declan. La fille produit le spasme en *le telle quantité* qu'elle se fourre le rouge à babines en mirette par l'intercession de l'inadvertance. C'est vous dégoiser le taux de n'importe quoi. Mabs la talonne de près, version Edward.

Moi en tartine devant la glace :

– Oh, je suis *le trop jouasse* d'être libre de me payer la tranche de joie de vivre, à la différence de vozigue. *Le positif,* je giguerai, je laisserai mon nunga-nunga s'esbaudir à sa guise *und* mon pif s'étaler sur la totale surface de mon faciès de tout son battant. Car, de nul gus, je n'ai à me soucier, étant la fiancée d'un Sublimo.

Mabs :

– Il t'a passé le coup de grelot depuis son dernier ?

Bibi :

– Point trop n'en faut, dégoiserait-on en idiome de l'amuuuuuuuuuuur.

Mabs :

– En clair, il ne t'a pas bigophoné.

Je me lustre la plume intérieure car la potesse me court sur le haricot. Calme, calme, pense amuuuuuuur, pense nuitées transalpines calorifères *und* rencontre de lippes soyeuses à l'ombre de la tour de Pise... ou va savoir ce que le Mozzarella a comme monument à Rome.

Moi :

– En fait, je compte prendre le spaghetto par les cornes afin de lui grelotter que j'arrive hâtivement.

Jasounette en sortie de coma à caractère craquogène :

– Tes parents sont d'accord pour que tu ailles à Rome ? Habiter chez un garçon ? Plus vieux que toi en plus ?

Mézigue en secousse de perruque, telle la pro de la secousse de, à l'échelle interplanétaire :

– *Si.*

Zieutage de concert du total Top Gang.

Jasounette :

– Tu nous dégoises le bobard ou je me trompe ?
– *Si.*

De retour sur la piste

Certes, l'autorité parentale ne m'a pas délivré le permis de m'absenter. Ni le subside ou je ne sais quoi. Nonobstant, elle sera trop occupée par le pugilat tutélaire (qui de Mutti ou de Vati gardera par-devers sézigue la progéniture *und* félidés lors de la séparation) pour s'inquiéter de mon saut de mite au Pays-de-la-Mozzarella-et-Tomates-à-la.

Je vous livre mon plan.

Pas plus tard que demain, je passe le coup de grelot à Scooterino dans le dessein de lui annoncer mon arrivée. Et j'enclenche le plan à base de passage de pommade aux vioques givrés.

20 h 30 Prise de possession des platines par le géant des steppes glacées. Je précise que l'Eskimo porte la cape de fourrure *und* la corne de bison *und*, joie de première joyeuseté, le patte d'eph' orné de la guirlande électrique ! Sans oublier le minibagage ! *Yessssssssss !*

La loupiote tourne au stroboscopique afin d'accompagner la prestation de Sven que le Top Gang accueille par l'applaudissement, conjugué débordement siphonnatoire.

Mézigue à Rosie :

– Plus fière que la fiertitude, tu peux être. Sans l'ombre du doute, tu as le gus de compagnie au taux de givre le plus élevé de toute la cité.

– Je sais. Vivement qu'on se retrouve !

20 h 35   Le spectacle que Roro *und* Sven offrent à la cantonade est pour le moins chocottogène. Que je vous le narre. Roro gigue le popotin et ainsi de suite en devanture devant Sven, qui lui renvoie la pareille à l'aide du clignement de mirette *und* léchage de babine. Je me refuse à les zieuter. Ce n'est ni plus ni moins que de la débauche des grands froids !

21 h 00   Le curieux, l'accointance est rare. Pas trace de Tom, Declan, Edward, Rollo ni, euh... qui d'autre... euh... j'y suis, Dave la Marrade. *Und* copine.

Bien entendu, perso, je m'en bats le globe oculaire avec une patte de punaise, mais le reliquat du Top Gang n'est pas loin de me faire entrer en siphonnitude à force de dégoiser des « Je me demande pourquoi Rollo n'est pas là », ou autres « Je me demande où est passé Edward. Tu crois qu'il est avec Tom et compagnie et qu'ils sont allés ailleurs ? ». Sans oublier Ellen se vidant tel le vieux lavabo :

– Euh, c'est, genre, je me demande si, genre, tu penses que, euh... Declan est, genre, avec Tom et compagnie et qu'ils sont allés ailleurs ?

La tensionitude commençant à me guetter, j'opte pour l'action diversionatoire afin d'éviter de débiter des balivernes à l'instar d'Ellen.

Moi :

– Livrons-nozigue à notre numéro chorégraphique sur-le-pré ! Que la fête commence !

Je passe l'info aux fiancés des steppes glacées et, conséquemment, Sven fait l'annonce que voici :

– Dans une minute, les filles dansent en cornes !

Roro se dépêtre du géant (entreprise qui requiert le siècle *und* moult léchouillis. Honnêtement) et le Top Gang se trisse à la vitesse du son en QG de la tartine dans le dessein de revêtir la corne. Je me sens plus libre que la liberté, tel que doit se sentir le Saindoux Brother, par le fait. Peu lui importe son agissement *und* sa vêture, il n'a pas conscience de sa niaiserie.

Mézigue :

– Joignons nos abattis en vue de l'accolade généralisée !

Aussitôt dit, aussitôt accolées. Brève explosion de « Corne ! » et la cantonade est prête pour son quart d'heure de gloire.

En bar

Regroupement du corps de ballet en périphérie de scène sur laquelle officie Sven. J'aime à croire que nozigue dégageons la séduction à caractère nordique, assaisonnée pincée de pillage *und* barbarie.

En vue de notre apothéose (la « matelote viking »), la pagaie *und* protège-esgourde *und* moufle forment la pile en vicinalité de baffle. Tout un chacun a la mirette tournée vers nous.

Sven met le morceau traditionnel viking intitulé *Jingle Bells*, la cantonade ajuste la corne et entame la chorégraphie :

Tape du nougat, tape du nougat à gauche,

Coup de latte à gauche, coup de latte.

Levage d'abattis,

Coup d'arme blanche, coup d'arme blanche à gauche (dans le dessein d'illustrer l'aspect pillage de la peuplade).

Tape du nougat, tape du nougat à droite.

Coup de latte à droite, coup de latte.

Levage d'abattis, coup d'arme blanche,

Coup d'arme blanche à droite.

Véloce tourbillon sur sézigue-même *mit* hissage de paluches en l'honneur de Thor (ou est-ce que je sais).

Levage de (supposée) corne à usage de gobelet à gauche,
  Corne à usage de gobelet à droite,
  Élévation de corne vers le firmament,
  Totale secousse de corps,
  Regroupement des ballerines,
  Chute sur rotules au cri victorieux de
  « Coooooooooooooooooorne ! ».

Un triomphe, ni plus ni moins qu'un triomphe. Ellen est même parvenue à faire l'impasse sur le poignardage de mirette de consœur. L'assistance avoisine la transe, qu'elle manifeste par le biais du bond, agrémenté criaillerie telle « Bis, bis ! ! ! ».
  Sven au micro :
  – Entendu les poulettes, c'est votre tour ! Revoilà le « tout schuss sur le disco viking » !
  Jingle Bells retourne en platine et nozigue en scène.
  Le public se joint à la chorégraphie et se livre au coup d'arme blanche à droite, poussant la capsule jusqu'au regroupement de ballerines *und* chute sur rotules au cri de « Coooooooooooooooooorne ! ». Quand je pense que d'aucuns dégoise que l'ado ne fait couic pour la population.
  Bibi est une star, ni plus ni moins qu'une star !
  Mézigue à Jasounette en enjambant le boucan :
  – J'exige le bonbec en loge *und* la limo pour la moufle. J'exige !
  Arrive le moment tant espéré du plat de résistance : la « matelote viking » ! Toute une chacune revêt le protège-esgourde *und* moufle et se saisit de la pagaie. Le corps de ballet se met en position, l'échine tournée vers la foule. Une fois icelle silencieuse, les ballerines attendent le signal musical. Le géant pose alors le disque sur la platine, déclenchant le lever de pagaies en fiertitude.

L'ensemble gigueur se tourne vers son public quand les lourdes du bar s'ouvrent avec fracas sur Mark Grosse-Bouche *und* Saindoux Brothers. Oh, *le trop bien.*

Note, qui s'en chaut ? Un signe à nos gardes du corps et les gras-doubles giclent telle la serviette en papier du distributeur de en service pipi et Cie. Avec aller direct pour l'égout de la vie à la clef !

La gigue est exécutée *mit* liesse *und* entrain, provoquant un nouveau déchaînement des populations réclamant à cor et à cri toujours plus de corne !

Notre Seigneur, le calorifère est à son comble.

Mézigue à Rosie :

– Impossible d'enchaîner un nouveau quadrille sans désaltération. Dépêche le coursier à l'abreuvoir.

Roro de retour une seconde après :

– Qui est le coursier ?

Jas :

– On n'en a pas. Gee est victime de la crise de démence intérimaire.

Je précise que la potesse fait la remarque la risette à la commissure.

Une minute après Le Top Gang régale à nouveau l'assistance de sa « matelote viking ». La foule est encore une fois transportée ! Telle est la vie. Même si Ellen me décoche le coup de pagaie de biais.

Sur ces entre-fêtes, le Saindoux Brother se met à lancer l'invective à sa façon gros nul.

Toute une chacune descend de scène comme si de couic n'était quand Mark Grosse-Bouche vocifère ce que voici :

– Et, toi, la balèze du milieu, montre ton nunganunga !

Surdéveloppé du groin s'adresse à Rosie !

Sven arrête la ritournelle qu'il jouait en platine et lève séant.

Le silence tombe telle l'enclume.

Le géant des steppes glacées retire la cape de fourrure et ajuste la corne.

Oh, Notre Seigneur.

L'Eskimo descend de scène à la vitesse du gastéropode et avance vers le Saindoux, le fute en clignotement maxi. La population tout entière enclenche la marche arrière au son de « Du calme, du calme. Arrêtez, les gars ! ».

Seule Roro ne partage pas l'opinion pacifique de la cantonade.

Sézigue sur les talons du géant :

– Vas-y, mon costaud. Arrache-lui sa tête d'épingle !

Deux minutes après Je rappelle que Sven ne boxe pas dans la catégorie minus, nonobstant le Saindoux est au nombre de huit face à sézigue. Perso, je ne cache pas une légère envolée du chocottomètre.

Mais telle qu'en pellicule western, la lourde s'ouvre à nouveau sur l'intrusion de Tom *und* Declan *und* Edward *und* Dom *und* Rollo *und* tripotée de poteaux *und*, et non des moindres, Dave la Marrade !

L'expert en poilade constatant les dégâts, dégoise ce que voici à Mark Grosse-Bouche :

– Mark, mon grand, va chercher ta pèlerine et ton sac à paluche. Tes sœurs et toi rentrez à la maison.

Trois minutes après Le Saindoux renâcle à bouche que veux-tu. Il s'en trouve même un pour blablater ce que voici à la Marrade :

– Le premier qui me fera sortir d'ici n'est pas né.

La Marrade en toisement du susmentionné :

– Tu l'as devant toi.

Le Saindoux :

– Bon, ben, d'accord. Je disais juste.

Les enrobés quittent les lieux non sans faire usage du crachat, assorti bourrade au passage *und* au quidam. Declan, Tom et Dave poussent même le bouchon jusqu'au portage en extérieur de Mark Grosse-Bouche, le popotin en l'air. S'ensuit une ribambelle de criailleries *und* coups de latte à auto perpétrés par les Saindoux, une fois les gras-doubles en venelle, ne risquant plus couic.

Le trop dommage, le patronat du bar a appelé la maréchaussée et la sirène se fait déjà esgourder, suscitant le commentaire de Sven que voici :

– C'est ce que j'appelle une vraie soirée viking.

La Marrade met le cap sur mézigue, la paluche portée par l'autre comme en souffrance.

L'expert *mit* risette en bandoulière :

– Tout baigne, Miss Super-Coquine ?

Mézigue :

– Heureusement que tu t'es pointé. Qu'advint-il à ta mimine ?

– Un des Saindoux m'a mordu. Si ça se trouve, plus jamais je ne pourrai jouer du tambourin.

La vision de sézigue me procure *le trop bien* et sa paluche en difficulté *le bizarre*. Je suis à deux didis de la lui dorloter. En fait, *warum* ne pas le faire ? Si ça se trouve, j'ai le toucher curatif.

Je suis limite sur le point de me lancer en dorlotement quand j'entends ceci :

– Oh, Dave, Dave, rien de cassé ? Mon Dieu, ta main ! Pauvre chat. Attends, je vais t'aider.

La proprio de la voix n'est autre qu'Emma, s'agitant de-ci *und* de-là telle l'infirmière.

La Marrade en décochement de risette à forte teneur en tristessitude à mézigue :

– Trop de falzars gâtent la sauce.

Le gus lève alors séant et se trisse, en claudication factice, au bras d'Emma.

Sa fiancée.

Vingt minutes après La cantonade est jetée dehors, Sven récolte l'avertissement policier et l'agent de la force publique demande alentour si d'aucun est en souhait de cafter le quidam. Perso, je ne zieuterais aucun inconvénient à ce que les Saindoux soient expédiés derrière les barreaux, d'un zoo. De toutes les façons, Sven ayant entamé le processus, le reste de l'assemblée avoue le débordement généralisé *mit* moult « Toutes nos scuses, inspecteur » à l'appui, avant d'amorcer le mouvement de repli vers ses pénates.

J'avise Miss Frangette et son Craquos en converse *und* en obscurité sur un banc. Oh, Notre Seigneur, une supposition qu'ils se rabibochent, une certitude que je me trouve en obligation de tenir la chandelle tout le chemin de retour.

Je cogite à ce qui serait susceptible de faire remonter Jasounette en chiffomobile au chapitre Craquos. À moins de m'immiscer entre leurzigue et de squatter l'emplacement jusqu'à ce que décès s'ensuive. De prendre mon devoir de teneuse de chandelle au sérieux, en quelque sorte.

Trente secondes après Un agent de la force publique ramène sa framboise et me tient ce langage :

– Ne traînez pas. Rentrez chez vous et cessez de provoquer des troubles à l'ordre public.

Charmant, par le fait. Nulle parole de réconfort telle que : « La bile, ne vous faites pas, donzelle. L'odieux gus ne vous importunera plus. Tenez, prenez ces cinq livres en vue de rentrer en cambuse *und* en taxi *und* en sécurité. »

Pour ne couic vous dissimuler, son faciès me dégoise vaguement quelque chose. Oh, oh, c'est sézigue qui rapporta Angus en sac en plastique, le soir où le félidé avait boulotté le hamster des Porte-à-Côté. *Le trop dommage*, Super-Matou n'avait pas apprécié le transport en sac. Subséquemment, il avait mis une pâtée au fute de l'agent.

Icelui reconnaissant mézigue :

– C'est vous ! J'aurais dû m'en douter. Comment va votre animal de compagnie ? J'espère qu'il a rejoint rapidement le paradis des chats.

Mézigue *mit* dignitosité sans reproche :

– *Le merci* pour votre sollicitude, commissaire. Mais il faut que je me trisse. Faites attention où vous mettez les arpions et gardez souvenance que le monde est une jungle. Je veille.

Vous percutez mon agissement ? Je simule l'agent à l'agent !

Note, je prends mes jambonneaux à mon cou *mit* ce cri à Jasounette :

– Jas, c'est l'heure de mettre les voilages. Conseil du gentil gendarme.

Miss Frangette rapplique aussi sec. Au premier bout d'uniforme, elle a le trouillomètre qui explose. Sans compter qu'elle est l'heureuse lauréate du concours de léchage de croquenots, catégorie agent de la force publique.

Elle :

– Merci infiniment, inspecteur. Vous faites un travail remarquable.

Oh, nooooooooooooooooooon.

S'ensuit une agitation de paluche de sézigue en direction de Tom, qui lui répond par le bécot soufflé, dont elle accuse réception par le biais du soupir. Nom d'une niverolle alpine à double tranchant. Ils ne peuvent donc pas rester séparés plus d'une demi-journée ? C'est lamentable.

Mézigue en cheminement :

– Tu as zieuté comment la Marrade s'est jeté dans la mêlée pour sauver nozigue ?

Jasounette :

– *Le positif.* Craquos m'a cachée derrière lui dans le dessein de m'éviter le mauvais coup. Et quand un des Saindoux lui a dégoisé : « Tu veux t'en prendre une, vieux ? », Tom lui a répondu : « Oh, là là, j'ai trop peur » et il lui a fait la prise de judo qu'on a apprise au stage de survie. Il a forcé le gras-double à prendre la porte ! C'était top.

Oh, tu vas la boucler avec ton Craquos !

Moi :

– Tu sais ce que m'a blablaté la Marrade ? Je lui demandais comme ça : « Couic de brisé ? Qu'advint-il à ta mimine ? » et l'expert m'a répondu : « Si ça se trouve, plus jamais je ne pourrai jouer du tambourin » ! Le gus est la marrade personnifiée.

– Oh, non, ton rosissement popotal repointe son pif ! Vraiment ?

En paddock mit chouette (*und* collègues)

1h00 Jas érige la minibarrière en chouettes entre nos personnes. Nonobstant, si je fais l'impasse sur le gigotement, la potesse m'octroie le permis de dormir en son paddock, en raison de la soirée de sauvagerie à fort potentiel traumatogène que nous

vécûmes. Nom d'un traquet oreillard pris de boisson.
La fille devrait venir faire un tour chez mézigue si elle
considère la nuitée du jour comme sauvageophile. La
chambre de bibi n'est ni plus ni moins que jonchée de la
poupée démembrée. Et, une supposition que je frétille
du petit didi en paddock, une certitude de me faire
attaquer vicieusement par Angus, Gordy ou Libby. Ou
le trio.

Jas :

– Craquos persiste à penser qu'on devrait aller dans
des facs différentes ou courir le monde ou quelque
chose. Sinon, on risque de ne pas savoir si on a fait le
bon choix. De l'autre coude, il m'aime de toutes les
façons.

Mézigue :

– Résultat des courses, quel est ton avis perso ?

La potesse cogite (ce qui se traduit par du tripotage
de frange, conjugué câlin à la chouette des neiges).

Sézigue :

– Ben, j'apprécie le divertissement comme la première quidam venue.

– Scuse, mais je suis en obligation de t'arrêter sur-
le-pré, Jasounette. Si tu veux réussir dans la vie, du
réalisme il te faut faire preuve. Je m'inscris en faucille,
tu n'apprécies pas le divertissement comme la
première quidam venue. Ta conception du susmentionné est *sehr sehr* différente de celle du commun des
mortels.

– Bon, ben, d'accord. Mais si ça se trouve, Tom a raison. On est trop jeunes pour décider de tout aujour-
d'hui. Je devrais peut-être faire des trucs et des
machins de mon côté, dont je pourrais tirer bénéfice.

Mézigue en redressement sur séant :

– À la mauvaise heure, ma potesse ! L'avantage est
le copieux d'être sans le gus de compagnie. Exemple,

tu n'auras plus à mimer l'intérêt pour la déjection de wombat *und* autre œuf de batracien.

La potesse affichant la perplexité :

– Ben, je ne mime pas.

– Euh, pigé, euh…

Notre Seigneur, la tentative est infructueuse. À tout argument de votre serviteuse, Miss Frangette oppose la réponse. Elle ne veut pas donner libre cours à son rosissement popotal. Elle ne zieute pas d'inconvénient à s'intéresser au popo de campagnol. Elle adore le susdit. Elle ne souhaite pas s'écraser mollement en pige-moi-ça, pour la bonne raison qu'elle est déjà en possibilité de, étant octroyé que Craquos, son fidèle Rintintin, l'affectionne telle qu'elle est, qu'importe son *look*.

En un mot comme en deux, Tom est son seulabre *und* unique. Point et virgule. Si seulement j'étais sézigue.

Évidemment que nenni je ne souhaite pas être Jasounette. La chose serait ridicule. Pour commencer, je me verrais dans l'obligation de me couper le cigare pour cause de trop-plein d'auto-irritation.

Dimanche 21 août

En cambuse

11 h 00 Pas impossible que je souffre de déprime postconcertiste. Sur scène, la vie dégageait *le formidable*, doublé poilade à tous les étages. Je dégoiserais même plus que le pugilat lui accorda la pincée de Cayenne. Mais par la suite, zieuter la Marrade se trisser au bras d'Emma *und* esgourder Jasounette vanter les mérites de la compagnie de Craquos me fit monter la jauge à grognon.

Sans compter que je n'ai pas blablaté au Sublimo depuis l'ère glaciaire. *Le n'importe quoi* pourrait survenir.

Bouh *und* popo réunis.

L'ambiance est au grise mine en cambuse. Bien que l'astre solaire luise en extérieur, il pleut en intérieur. Pas au sens nickel du mot, mais vous percutez ce que je veux blablater. Mutti s'est fait la valise *mit* Libby en vue me semble-t-il de brosser la mère de Josh dans le sens de la pilosité. J'adorerais que ce fût par souci de souci pour sa progéniture, mais je crains que la démarche maternelle ne soit guidée par le départ de mon Grand-Vati *mit* sa fiancée Maisie en virée camping. À toutes les baffes, Maisie leur aura tricoté la tente. Quant au père de famille, j'ignore total où il s'est vomi. L'homme pointe absent à tout bout de champ.

Je ne cogitais pas venu le jour où je dégoiserais ce que voilà, mais j'apprécierais que la parentèle rétrograde à la « normale ». Je suis même décidée à pousser le bouchon jusqu'à ne pas régurgiter si d'aventure les vioques se touchaient.

Qu'adviendrait-il en cas de séparation parentale ? Bibi serait confrontée au trucmuche du choix. Le juge me dirait que j'ai la possibilité d'opter pour la résidence de l'un ou l'autre de mes géniteurs.

Je vous le déclare sans ambages, Vati est éliminé d'office. Pas impossible que je lui fasse passer le ci-devant message : par son absence cruelle d'attention à mon égard, il risque de ne plus jamais me rezieuter. Le père de famille refuse de me procurer la plus infime babiole. Hier, je lui réclame gentiment les centaines de livres nécessaires à mon déplacement à Rome et l'homme est victime de l'hilarité grand format.

Deux minutes après Je me demande s'il s'esclaffera autant quand, pour se remémorer sa progéniture, il ne lui restera plus que l'article de journal relatant ma tournée mondiale. *Und* chorégraphie *mit* les Stiff Dylans en contrée exotique. J'ajouterais même plus que, si le magazine de show-biz m'interrogeait sur sézigue, je répondrais ce que voici : « J'aurais adoré l'adorer, mais *mit* la séparation de la parentèle *und* mon art qui me trimballe de-ci *und* de-là de par le vaste monde, j'ai comme qui dégoiserait plus grand-chose en commun *mit* sézigue. »

Sans préciser que je n'en avais pas autrefois non plus (cf. la clownomobile et le fute en cuir), au risque de gâter mon image auprès de mon public.

Cinq minutes après Une supposition qu'il m'octroie les cinq cents livres de mon dégobillement à Rome, une éventualité que j'envisage la triple visite annuelle chez sézigue, à raison de l'aprèm' à l'unité.

Plan *le génial* !

Dix minutes après Grelottement du grelot. Pas trop tôt ! Je mettrais ma paluche au cutter que c'est mon fiancé mozzarella à forte teneur en Sublimo qui me bigophone de la Cité éternelle. M'étant procuré le livre intitulé *Le Transalpin pour les demeurés pur beurre*, je ferais bien d'y jeter la mirette. Note, si l'opuscule s'apparente au manuel de *le Bel France und* germain du Stalag 14, il risque d'afficher la billevesée à foison. Le livre scolaire ne fait que blablater de la perte de vélocipède et non de la vraie vie. Couic sur la mode bécotale en divers idiomes. Totalo stupido *und* inutilo.

Und trop tardo.

Mézigue en décrochement de combiné :

– *Ciao !*

– Oh, euh, *ciao* ou quelque chose… euh… je, ben, c'est moi ou quelque chose. Je ne sais pas si…

– *Le bonjour*, Ellen.

– Georgia… Puis-je… Enfin, tu es là ?

– *Le négatif,* je ne le suis.

– Ben, tu seras là plus tard ou quelque chose ?

– Ellen, je réponds au bigo. Comment veux-tu que je ne sois pas en cambuse ?

Un quart d'heure de n'importe quoi hésitatoire après

Miracle ! Declan lui a octroyé le rencard demain soir à la grosse horloge. Conséquemment, Miss Tergiversation consulte la Sublima (*mio*) en vue du conseil.

Filer le coup de paluche à autrui fait passer le temps *mit* plus de vélocité.

Mézigue :

– Ellen, ma poulette, je te délivre ici-bas le tuyau de première qualité au chapitre rencard. Ne pas ingérer la substance nourrissante ou désaltérante, pas même le cappuccino, à moins que le gus ne soit le fervent admirateur de la moustache en mousse. Si tel est le cas, largue-le sans attendre. Deuzio *und sehr sehr* important, ne blablate pas le contenu de ton cervelet. Et enfin *und* surtout, garde souvenance qu'il te faut giguer et afficher l'allégresse. Nonobstant, j'attire ton attention sur le lieu où t'adonner au quadrille spontané. Une supposition que tu optes pour le supermarché, une certitude que le gus te range dans la catégorie bizarre.

16 h 00 Cette fois, la tasse est pleine. Je ne peux attendre davantage. Je prends le Sublimo par les cornes et lui passe le coup de biniou.

Consultation de mon bouquin *Le Transalpin pour les demeurés pur beurre* (je précise que l'ouvrage ne s'intitule pas de la sorte, nonobstant il devrait. L'illustration du susdit est plus nulle que la nullité. À tous les coups, elle est l'œuvre du dessinateur qui sévit déjà dans notre manuel de germain, relatant les aventures de la famille Saube. Au chapitre « Délassement & récréation », l'image montre le givré assermenté, la perruque hérissée, la mirette hypertrophiée, jonglant *mit* la balle. Quel que soit l'idiome, la chose est irrecevable).

Bref, j'acquiers la connaissance de l'usage du bigo au chapitre : « Blablater dans le combiné ».

16 h 30 Code transalpin et toutim vérifiés.

Composition du numéro. *Dring ! dring !* Le Mozzarella affiche le grelottement inhabituel.

Décrochement à l'autre bout du bigo.

Mézigue :

– *Ciao.*

Un quidam sur le mode hésitatoire :

– *Ciao.*

Serait-ce le Vati de Scooterino ? Quel est donc le mot pour désigner le Vati en transalpin ? J'ai oublié de vérifier dans mon manuel. Ce ne peut-être « Vatio », tout de même ?

Moi, tentant mon va-tout :

– Euh, *buon giorno*, Vatio, *ich*, euh, *le négatif, le négatif… sono* Georgia.

– Georgia ?

– *Si.*

Le Vatio de Scooterino :

110

– Ah, *si*.

S'ensuit un silence de petit format.

Oh, saperlipopette. Comment dégoise-t-on : « Je veux blablater à Scooterino ? »

Moi :

– *Io*, veuxio... *un momento, per favore.*

Rapide consultation de l'ouvrage. Bingo ! Un ravissant dessin d'esgourde m'indique que j'ai atterri au chapitre : « Blablater dans le combiné ».

Mézigue :

– Je voudrais dégoiser à... *P-o-s-s-o p-a-r-l-a-r-e a M-a-s-s-i-m-o ?*

Re-silence. Puis une voix à l'accent du Yorkshire me débite ce que voici :

– *Po*... quoi ? Je n'ai pas compris la suite.

Résultat des courses, je suis en converse avec le Yorkshirien en villégiature à Rome.

Bibi :

– Je vous présente l'excuse. Nonobstant, étant octroyé que vous m'avez décoché le *ciao*, je vous ai cru transalpin.

Le Vati du Yorkshire :

– Non, j'habite Leeds, mais j'adore les spaghetti.

Deux minutes après Total, l'homme se régale, bien que l'œuf au vinaigre de bon aloi soit introuvable à Rome. Néanmoins, le manque de ne lui ternit pas l'amusement.

Nom d'une fauvette babillarde en transit, je suis ni plus ni moins qu'en échange bigophonique avec la version Yorkshire d'oncle Eddie. Impossible d'arrêter le débit blablatoire du gus qui me blablate comme si sézigue et mézigue étions accointances.

Dix minutes après Cent ans plus tard, je raccroche le bigo. Total, j'ai le numéro erroné. À moins que je l'ai composé de malfaçon. Et si j'appuyais sur la touche « bis » au chapitre tentative ? *Le négatif*, refus total de prise de risque de me retrouver esgourde à esgourde *mit* Appelez-moi-Gros-Bob.

LA GROSSE PATTE VELUE

DU DESTIN

Mardi 23 août

En cuisine

17 h 30   Ma sœurette adorée est de retour au QG du marasme (en cambuse).

Mutti :

– J'ai obtenu que Libby s'en tire avec un avertissement. Elle pourra retourner à la crèche dans quelques jours, mais j'ai dû promettre de lui interdire de jouer avec des objets coupants. Par conséquent, je te prierais de ne pas lui prêter tes couteaux.

Mézigue :

– Mutti, je te ferais dégoiser que je ne possède pas le couteau. C'est toi qui lui passas les ciseaux afin de trancher la tête de la poupée Pantalitzer. Josh arbore-t-il toujours « Cucul » en front ?

– Mon Dieu, quelle histoire. C'est de l'encre indélébile, pas du poison !

– Il se trouve que certaines femmes se comportent telle la génitrice *und* grande personne *mit* protection de sa couvée à la clef.

113

Mais Mutti est trop occupée à feuilleter *Ado mode* pour esgourder.

18 h 00 Libbynette est en préparation de pique-nique spécial félidé à base de biscuits écrabouillés sur assiette *und* bolées de lait pour chaque minou. J'avise Angus, Naomi *und* Gordy prendre la poudre d'Espelette vers la première planque venue. Ce n'est pas la première fois que la gent matou est conviée *manu militari* à du repas de plein air. Sauf que, une fois expérimenté le violent jeter de caboche en bolée de lait, mâtiné enfournement de roulé à la confiture en gosier, le matou a tendance à accepter moins facilement l'invitation aux agapes.

L'heure a sonné de passer l'onguent à Mutti.

Moi :

– Une supposition que tu obtiennes ma garde et non Vati, une certitude que le père de famille verse l'entretien *und* bourse enfantine *und* ainsi de suite. Total, l'avance je peux obtenir, dégoisons cinq cents livres. Étant octroyé que les pépettes sont comme qui blablaterait miennes. Je me goure ou le subside est destiné à subvenir à mes besoins ?

Mutti :

– Hum. Mais j'aurais besoin d'un vrai coup de main à la maison.

– Méga d'accord, je peux. De la sorte, je gagnerais la pépette qui m'est dévolue et conséquemment pourrais acquérir à mes frais mon titre de transport pour le Pays-de-la-Mozzarella-et-Tomates-à-la. *Und* tout est bien qui finit bien. Résultat des courses, l'affaire ne te coûtera pas le radis, car je serai rémunérée sur mon pécule perso. Sans compter que tu veux voir ta progéniture en allégresse et en possession du gus de compagnie. Même Ellen s'en est dégotté un. Et si ça se trouve, tu trouveras croquenot à ton arpion quand tu auras largué Vati. Va savoir, un miracle. Ne dégoise pas « geyser, je ne boirai pas de ton eau ».

Mutti :

– Alors, tu serais prête à faire du repassage, un peu de ménage et à être gentille ?

– Oh, *le positif,* puissance positif !

– Entendu. Tu peux commencer avec les affaires de Libby.

Lalalalalalala. À nozigue la belle vie de repasseuse. Vélocement suivie par l'aventure bécotale au paradis du Sublimo.

Une demi-heure après Quoi de plus tartogène que la tâche domestique. Je vous le déclare sans frais, pas question de rempiler.

Mézigue à Mutti :

– Je mettrais mon chou au tournebroche que j'ai chopé le repassage-elbow. D'ailleurs, par le fait, je fais l'impasse sur le mouvement horizontal, je passe direct au vertical. Pourvu que le coup de fer n'ait pas mis ma carrière de ballerine en péril.

19 h 15 Je ne suis ni plus ni moins que l'esclave domestique.

Moi à Mutti :

– Comme je te le dégoisais pas plus tard que récemment, je compte me trisser samedi.

– Bonne idée.

– Je demanderai au père de famille de me conduire à l'aérodrome.

– Ton père n'est pas là ce week-end. Il part pêcher avec oncle Eddie ou faire le zouave en clownomobile. Il a besoin de temps pour mettre ses idées au clair.

– Dans ce cas, tu me conduirais ?

– Où ça ?

– À l'aérodrome.

– Pourquoi veux-tu aller voir les avions ?

– Je ne veux pas les zieuter, mais enfourcher le premier venu en vue de me rendre chez les Mozzarella.

– N'y compte pas.

La lumière déchire les nuages.

La mère de famille n'a jamais eu la moindre intention de me laisser me carapater, elle était seulement en volonté de m'atteler à la table à repasser. Encore un exemple de l'agissement criminel que je suis obligée de me fader. Je ne suis pas sans ignorer que l'histoire calamiteuse existe, telle celle des géniteurs immondes qui gardent leur mouflet en cave et le traitent de « Mister Popo de pif » à tout bout de pré. Nonobstant, j'estime que mon sort n'a couic à envier au sien.

Moi en sortie *mit* claquement de lourde :

– Mutti, je te le blablate sans détour, je te hais de haine.

Chez Roro

20 h 00 Sa parentèle est encore de sortie et sa cambuse respire la béatitude personnifiée. Rosie ne se fade ses vioques qu'à raison de deux fois l'an. Je lui narre le topo.

Rosie :

– Trop *le merdico*, ma petite potesse. En cas de stress ou de spasme de nerfs, mon conseil est de se dorloter la santé. Pour ce faire, ci-joint le roulé à la confiote, accompagné de trucmuches au frometogomme.

Mézigue en mastication :

– De toutes les manières, je me trisse à la furtive et

en nuitée, *mit* le pognon de mon Vati coupable. Je me rendrai à l'aérodrome par le truchement de l'auto-stop. À moins que le gus ne me conduise en auto. À ton avis perso, Dom me véhiculerait ?

Roro plus enthousiaste que l'enthousiasme :

– Plan *le trop génial* ! Il te suffit de dégoiser « chacun pour sézigue » et *ciao, Roma* !

21 h 00 Je suis limite au bord de bigophoner à Dom, mais la crainte m'assaille. Si la possibilité j'avais, je passerais le coup de grelot à la Marrade, l'expert compatirait. Ou pas. Si ça se trouve, requérir de son poteau certifié poteau qu'il vous conduise à l'aérodrome en vue de retrouver un Sublimo ne boxe pas dans la catégorie méga aimable.

De toutes les façons, la Marrade ne manquerait pas de discourir sans fin sur ma romance lesbienniste *mit* Scooterino.

Toujours chez Roro

21 h 20 En établissement de liste de vêture *und* maquillage nécessaires à mon déplacement. À tous les coups, le fond de l'air est chaud chez les Mozzarella. Conséquemment, je me dois de me munir de ma totale garde-robe estivale, bikinis *und* tongs réunis.

Moi :

– Tu blablaterais que j'emporte le livre pour l'intermède calme sur plage ?

La copine me décoche le zieutage.

– Quel intermède calme ?

22 h 00 Je suis plus requinquée que le quinquennat. J'envisage même le début de bagage, dès mon retour en cambuse.

Bibi en quittance de Rosie :

– *Le merci*, ma potesse *le extra*.

– De rigueur. Et n'oublie pas ton passeport.

Je laisse échapper le rire de hyène.

En chemin de retour

Un quart d'heure après   Hum. Où est mon passeport, par le fait ?

Une heure après   Je m'en vais vous le blablater où. Au bureau de Vati, voilà où.

Warum ? Quelle catégorie de quidam emporte le document officiel par-devers sézigue au travail ?

Mon Vati, telle est la catégorie.

Moi :

– *Warum* agir de la sorte ?

Vati :

– Tous les papiers de la famille sont au bureau. Je te connais. Tu es capable de perdre les tiens ou de mettre du rouge à lèvres dessus ou Angus de les manger. Comme ça, je sais où ils sont.

– Mézigue aussi, présentement. Par conséquent, peux-tu m'expliquer *warum* tu ne vas pas me chercher mon passeport, délivré à mon blaze par Sa Majesté la reine ? Étant octroyé que c'est mon passeport. Et pendant que tu as la paluche en coffre-fort, aboule les cinq cents livres de pension enfantine que tu m'as promises.

Le père de famille répond par la négative.

Moi en filant telle la bise en chambre et en vue de me coucher :

– Vati, je te le blablate sans détour, je te hais de haine.

Deux minutes après Telle est ma vie.

Je suis la meilleure potesse du Yorkshirien répondant au doux patronyme de « Gros-Bob ».

Je me trouve en obligation d'expliquer à mon gus de compagnie, conjugué Sublimo rock star à forte teneur en crousti-fondant, que l'autorité parentale me refuse l'usage du passeport.

Et kiwi sur le cake, je dispose d'une livre cinquante pour me vomir au Pays-de-la-Mozzarella-et-Tomates-à-la.

Existe-t-il *le pire* ?

Minuit Libby m'a glissé l'œuf sous l'oreiller dans le dessein d'obtenir « le bébé poule ».

J'ai le pige-moi-ça maculé.

Mercredi 24 août

8 h 00 Je ne suis ni plus ni moins que retenue en geôle par mes procréateurs, farcis à la méchanceté *und* nullité réunies. Sous prétexte que leur vie affiche un taux de décrépitude rarement constaté outre-Manche, ils s'ingénient à vouloir infliger la peine similaire à la mienne. Je leur ferais bien partager l'état de mes réflexions, mais encore faudrait-il que je leur blablate. Ou qu'ils se blablatent.

En chambre

Vati frappe le coup à ma lourde.
Mézigue :
– La porte est fermée à clef.
Le père de famille en ouverture de susdite :

– Tu n'as pas de clef.

– Tu ne la zieutes peut-être pas, nonobstant, elle y est, sinon mézigue ne serais pas.

Mais l'homme n'a cure de sa progéniture.

– Écoute, Gee, je m'absente quelques jours et…

– Que ressent le quidam qui peut se déplacer de par le vaste monde à sa guise ?

– Ne me dis pas que tu continues à penser à cette histoire de voyage à Rome. De toute façon, ton bel Italien sera de retour d'ici une semaine ou deux.

– Vati, si ça se trouve je serai passée à trépas dans une demi-heure et ma vie se résumera à derme de chagrin.

L'homme prend le chiffon, tel le burlesque chiffonné en similicuir. Quelle vêture a-t-il revêtue ? Le blazer de cuir.

Bibi :

– Ne me dégoise pas que tu comptes sortir en extérieur tel qu'affublé ?

– Ne commence pas, Gee. Je suis venu te dire au revoir et aussi que… comme tu as pu le constater, ta mère et moi ne nous entendons pas très bien en ce moment.

– Elle t'a jeté le couvre-fesses.

– Je ne le sais que trop. Je les ai retrouvés pleins de pipi de chat.

Non sans blague, suis-je vraiment tenue d'esgourder ce genre de palabres ? Je mettrais ma caboche au grill que le jour venu de ma gloire rock, je consacrerai l'étendue de ma fortune à rémunérer le psy. Nonobstant, l'homme n'en a pas terminé.

– Ne t'inquiète pas, les choses vont s'arranger. Et si ce n'est pas le cas, il se peut qu'on soit obligés de…

Oh, *le négatif*, le père de famille est limite en frontière d'attendrissement. Une supposition qu'il chouine, une certitude que je dégobille. Mais voilà qu'il fait pire. Il me dépose le poutou en sommet de caboche !

Plus irritant tu décèdes. *Und* étrange.

Une heure après Mutti en partance pour le « travail » :

– Tu es toute pâlotte.

Mézigue :

– À tous les ramponneaux, c'est le résultat de ma vie décrépie. Dont tu portes l'entière responsabilité.

La femme fait comme si elle ne m'avait pas esgourdée.

Je percute ce qu'elle mijote. Elle s'en bat la mirette avec une patte de cigale de mon dépérissement, elle rêve d'un détour par le cabinet du docteur Clooney. Dans moins de vingt secondes, elle va m'ausculter la rotule en décrétant qu'elle protubère ou que je ne cille pas assez ou quelque chose et prescrira la visite rapide chez le toubib. Je vous le dis sans ambages, elle devra m'y traîner par le nougat.

10 h 40 Arrivée de la correspondance. Possible que j'aille vérifier si j'ai reçu la missive.

Une minute après Oh, joie débridée, j'ai la carte postale du Sublimo ! Elle affiche l'âne buvant le *vino* à la bouteille. Est-ce l'usage à Rome ? On ne sait jamais *mit* la population non grande-britonne.

Tais-toi, cervelet, et lis la carte de Scooterino.

Ciao, bella

Toi me manquer comme folie. Le temps petit avant de te revoir. Aujourd'hui aller à la montagne. J'ai la chanson dans le cœur pour toi.

Baccii. Massimo

Aaaaaaaaaaaaaaaaah. Il a la ritournelle en battant pour mézigue. J'espère qu'il ne s'agit pas de *Ainsi font font les petites marionnettes*. Ou en splendide idiome mozzarella : *Ainsio fono fono las petitas marionettas*.

Oh, je suis total terrassée par le désir de le revoir.

Je me demande si je ne devrais pas lancer la collecte auprès du Top Gang afin de récolter le fonds. Je mettrais ma paluche au sécateur que Miss Frangette a la tirelire fourrée au billet de cent. Néanmoins, comment enjamber l'obstacle passeport ? Si ça se trouve, je pourrais établir le faux.

Je vous le blablate sans détour, je hais la parentèle.

En soirée En vue de rendre l'hommage à notre reliquat de liberté avant le retour au Stalag 14, la cantonade vote pour la réjouissance spontanée spéciale fille en intérieur. Toute une chacune reste dormir chez Jools, étant octroyé que la potesse dispose de l'étage perso *mit* télé perso *und* salle de bains perso.

C'est ce que j'appelle du soin parental. Vivre en cambuse de fort gabarit permettant le non-croisement avec ses géniteurs. Aucune fille en croissance ne devrait être exposée au risque de zieuter sa Mutti ou son Vati en sous-vêtement.

23 h 00 J'ai la jauge à joyeuseté qui remonte sensiblement.

Rosie, Jools, Mabs et mézigue squattons un grand paddock et Jas, Ellen, Honor et Sophie un autre.

Jasounette me sciant les guiboles :

– En fait, ce n'est pas si mal d'être célibataire. On peut se lâcher. C'est la première fois que je remets mon t-shirt Snoopy depuis des lustres.

Mézigue :

– Nom d'un pipit de Richard surentraîné, Jasounette, vas-y mollo.

Roro :

– Ce que toute une chacune doit se rappeler c'est que le gus *und* bécot sont certes *le délicieux*, nonobstant l'amuuuuuuuuuuur ne dure pas toujours. Alors que l'échoppe de frusques *und* de babioles dure toute la vie.

Sehr sehr sages palabres. S'ensuit un attelage de la cantonade aux sujets sérieux.

Mabs :

– Ben, j'aimerais votre avis perso sur cette affaire. L'autre matin, je mate Edward en venelle, sur le trottoir d'en face, et le gus me fait le coup du bigo… Style je fais semblant d'avoir le combiné en main et de composer un numéro. Sous-esgourdant, passe-moi le coup de grelot.

Le Top Gang lui décoche l'œillade.

Mézigue :

– Alors, tu l'as grelotté ?

Elle :

– *Le négatif*, parce que j'ignore total si c'est sézigue qui doit décrocher le grelot ou mézigue. Je suis genre toute…

Bibi :

– Grelottée ?

La fille opine du chef.

Nom d'un cincle plongeur vindicatif.

Le grelotté est pire que le « À plus ».

Dix minutes après Il a été décidé que Mabs ne pouvait risquer le désastre grelottement. Subséquemment, l'alternative est qu'elle tombe sur Edward par le truchement de l'inadvertance et zieute ce qu'il advient.

Jools :

– Je sais qu'il joue au foot le jeudi aprèm' au parc.

De ce fait, on pourrait se trouver exprès sur zone par le biais du pas-exprès. La dernière fois que j'ai croisé Rollo, il m'a assené le coup du grelot. Il m'a fait comme ça : « Passons-nous le coup de grelot. » Or, quand je le passai, le gus était soi-disant occupé, il se trissait à l'entraînement et il m'a fait comme ça : « Passons-nous le coup de grelot plus tard. » Mais je m'abstins, étant octroyé que je tombais par le fait en double désastre : passe-moi le coup de grelot, conjugué « À plus ». Le pire des scénarios.

Hummmmmmmmmm.

La prochaine à livrer le compte rendu rencard est Ellen.

Mézigue :

– Ne me dégoise pas que Declan t'a emmenée visiter l'échoppe de canifs.

Ellen :

– Non, on, ben… euh… il et je…

Moi :

– Ellen, je suis en connaissance que pour tézigue le topo est classé zone sensible, vu ta teneur en émoi, assorti embarras, mais je te rappelle que tu es parmi les tiennes ce soir, le Top Gang, tes meilleures *und* plus affables potesses de toutes les potesses. Alors, je te le dégoise tout de go : primo, à quel numéro êtes-vous rendus sur l'échelle des trucs et des machins qu'on fait avec les garçons et, deuzio, êtes-vous de revoyure ?

Quarante ans après Dans le but d'économiser de précieuses heures, je vous livre le résumé du rencard d'Ellen *mit* Declan. Au bout d'une tonne de converse, agrémentée litres de soda (excellent choix vis-à-vis du problème moustache en mousse), Declan lui a passé *le bon nuit* et ils ont fait escale au numéro un, deux, trois *mit* pincée de quatre. Hourra ! Et *le merci* Notre Seigneur !

Au rayon malus, le gus a blablaté ce que voici à Ellen, en la laissant sur le pas de sa lourde : « On devrait se refaire ça un de ces jours. » Et, sur ces moches paroles, il s'est trissé.

Le Top Gang décrète sur-le-pré que le « un de ces jours » est un « À plus » déguisé.

Je narre à la cantonade l'affaire gazelle en falzar qu'il convient de faire sortir de la futaie par l'intercession de l'agrément (en clair, l'éloigner de ses poteaux demeurés). Il est convenu d'un commun accord que la ligne d'action préférable est de se tenir prête à l'observation de la gazelle (en séance foot, par exemple) et d'afficher la semi-disponibilité ensorceleuse.

Sur ces entre-fêtes, Jasounette se chope la mirette brumeuse à la remémoration de sa prime vision de Tom.

Sézigue à mézigue :

– Tu te rappelles la première fois que je l'ai vu ? Il était tellement craquant dans la boutique de ses parents. On avait un plan pour qu'il s'intéresse à moi. Je suis entrée acheter l'oignon et tu m'as emboîté le pas, *mit* démonstration ostentatoire de ma soi-disant célébrité au collège. La suite est inscrite dans les annales de l'histoire.

La copine fait soudain montre de la tristessitude et ajoute ce que voici :

– Si ça se trouve au sens propre.

Dans le dessein de lui recoller la risette à la babine *und* l'empêcher de chouiner « les années campagnol », je propose à la cantonade l'abordage du topo de première gravité, telle que la question du béret au premier trimestre. Convient-il ou non de broder sur le thème du béret garde-manger, en service l'année précédente ?

Sophie :

– Mon préféré de tous est la bête à gants. Il ne pourrait pas y avoir reprise ?

Minuit Livraison de toute une chacune à la comparaison *mit* toute une chacune de son avancement sur l'échelle de Richter et devinette du numéro atteint par tel ou telle quidam.

Jools :

– À votre avis perso, la Mère Wilson a bécoté le gus ? Et si oui, quelle altitude a-t-elle atteinte ?

Beurk.

Mézigue :

– Pas un gus sur terre ne peut franchir le velours côtelé en *le tel quantité.*

Roro :

– Personnellement, en tant que moi-même, je lui trouve le charme. Pas impossible d'ailleurs que j'y vire sensible, par le fait. Je lui ai trouvé le corps beau quand je la zieutai en nudité *mit* savon sur cordelette.

Le Top Gang lui décoche l'œillade généralisée. Même à votre serviteuse, il arrive de s'abasourdir du taux de siphonnitude, mâtinée étrangeté de Rosie.

Mézigue :

– Jools, change de place avec moi. Je refuse de dormir en proche vicinalité d'Homosexualiste Ière.

Esgourdant ma remarque, Roro m'octroie la moue pulpée.

Je lève séant et lui décoche le coup de latte auquel elle répond par la prise de cheville à conséquence culbutatoire.

Mabs lance alors ce cri : « Bataille de filles ! Bataille de filles ! » qui accouche aussitôt du pugilat massif par l'entremise de l'oreiller.

Sur ces entre-fêtes, la lourde s'ouvre et la Mutti de Jools pénètre en chambre. Oh, Notre Seigneur.

La femme affiche la mine patibulaire. La cantonade est bonne pour un : « On vous octroie la pincée de liberté et vous prenez la louche. À l'époque où j'étais donzelle, on ne disposait pas de l'oreiller et on dormait en tiroir et... »

Mais elle se contente de dégoiser ceci :

– Georgia, tu as un appel de ta mère. Tu peux le prendre à l'étage si tu veux, ma chérie.

Je me demande *warum* elle me zieute à la mode bizarre. Si ça se trouve, Mutti est prise de boisson *und* se fait la soirée Abba *mit* potesses *und* a décidé de refaire sa vie avec le pompier rencontré à la leçon d'aérobic. Je vous le déclare sans frais, je me refuse à résider *mit* elle *und* Peter ou va savoir son blaze.

Je prends le bigo. Mutti chouine. *Le trop génial*, elle s'est déjà fait larguer par Peter et je vais devoir me fader sa jérémiade peteresque jusqu'à la fin de mes jours.

Mutti :

– Oh, ma chérie, c'est affreux.

Le larmoiement se fait plus volumineux.

Moi :

– Mutti, ne compte pas sur moi pour emménager chez Peter.

La mère de famille ne prend même pas la peine de me répondre, l'arpion bloqué sur la pédale chouinade, conjuguée hoquetation. Pour ne rien vous dissimuler, le tourneboulement manifeste de la femme m'amorce l'inquiétude. Nom d'une buse pattue en congé parental.

Mutti :

– M. Porte-en-Face a sonné... et oh, c'était tellement... quand j'ai ouvert la porte, j'ai pensé, j'ai pensé qu'il portait un bébé enveloppé dans une couverture... et c'est là que, oh, ma chérie, et... et, oh, une de ses pattes est sortie de la couverture et elle... pendait... toute molle.

Le niveau lacrymal atteint cette fois des sommets. Je ne percute que couic à ce qu'elle me blablate.

Mézigue :

– Que débites-tu au juste ? La patte de qui ?

– Oh, ma chérie. Il s'agit d'Angus.

Je tombe illico en empêchement de dégoiser. Sans compter que mon cervelet dépose l'arrêt de travail. J'esgourde Mutti discourir *und* chouiner, mais elle semble le jouet à l'autre bout du combiné.

– M. Porte-en-Face l'a trouvé au bout… au bout de la rue… dans le caniveau. Tu sais comme il aime les voitures… il les prend pour des grosses souris sur roues, n'est-ce pas ? Et il a dû… il gisait là.

La larme me jaillit soudain de la mirette, toute seulabre comme une grande, se déversant du globe oculaire à jet continu avec atterrissage sur pige-moi-ça *mit* plouf. J'ai la cavité buccale en totale déshydratation *und* comme qui dégoiserait l'impression d'être en déficit d'air.

Mutti au bigo :

– Georgia, ma chérie, parle-moi. Dis-moi quelque chose, je t'en supplie.

J'ignore combien de temps je demeure immobile, la chouinade à plein régime, quand la douleur d'intensité massive me percute brusquement le battant, comme si le bourre-pif en zone cardiaque m'avait été filé, suivi du coup de couteau. Je ne mettrais pas mon cigare au brasero, mais il me semble que le son me sort du gosier, tel le grognement volumineux poussé par la personne atteinte de la douleur. Par le fait, je ne reconnais pas ma voix, on dirait celle de la totale inconnue dans le lointain.

Nonobstant, le cri devait afficher la réalité réelle, car je sens la paluche de Miss Frangette sur mon épaule.

Sézigue :

– Qu'est-ce qui se passe, Gee ? Dis-moi ?

En totale impossibilité de blablater je suis. Seule option à ma disposition, la chouinade, panachée tremblements. Jasounette me prend le bigo des paluches.

– Allô ? C'est Jas. Que s'est-il passé ? Oh, non, oh, non.

La potesse me resserre l'étreinte et poursuit la converse :

– Oui, oui, je suis là. Je m'occupe d'elle. Je la raccompagne en taxi. Oui, oui, je la soutiens. On est toutes là. Tout le monde l'entoure.

Le Top Gang dans son ensemble se pointe alors en entrée et, zieutant mon état, me délivre l'accolade. Si on me demandait mon avis perso, j'opterais direct pour la perte de conscience. Et si je m'esgourdais, je me sectionnerais la caboche, en vue de la vider de son contenu.

Je réalise moyen ce qui se passe. Nonobstant, je percute que la Mutti de Jools m'enrobe dans la couverture de grand format car j'ai de la tremblote de corps. Sur ce, le taxi arrive sur zone. Je ne vous raconte pas l'hectolitre de larmes que je déverse sur l'épaule de Jasounette. La potesse me berce tel le marmot en me susurrant la parole apaisante comme d'us en cas de cauchemar de nourrisson, style : « Tout doux, là, là, chuuuuuuut. »

Chez mézigue, la lumière coule à flots en salon et quand le tacot s'arrête en allée de jardin, j'avise Mutti me guettant derrière le carreau.

Je tente la sortie de véhicule qui se solde par l'échec, car le jambonneau me refuse le fonctionnement. Le chauffeur s'extirpe de l'auto afin de me cueillir à la portière.

Sézigue :

– Ne t'inquiète pas, mon chou. Je te tiens.

L'homme me transvase en maison où Mutti *und* Jasounette m'attrapent par l'abattis en vue d'éviter que je chute.

Le chauffeur de taxi en partance :

– Prenez soin d'elle. La course est pour moi.

Mézigue en tentative de prise de parole où je m'aperçois que j'ai la voix de corbeau :

– Où est-il ?

Mutti :

– Je l'ai mis sur le canapé.

Se rendre en salon relève de l'étrange. J'ai comme qui blablaterait l'impression que le blizzard de force tornade souffle à ma rencontre. Par le fait, je le perçois à ce point réel que je l'esgourde même pousser contre la lourde pour m'empêcher d'entrer, m'obligeant à le fendre *mit* effort dans le dessein de parvenir jusqu'à Angus.

Le félidé gît sur le canapé, enroulé dans la couverture, la mirette close *und* le bec entrouvert. Il a la plaie béante en caboche. Je me positionne en proche vicinalité de sézigue, lui inondant la frimousse de ma chouinade. Comment pourrais-je vivre sans mon poteau velu ? Il n'était dégoisé nulle part qu'il devait me quitter. Je préférerais être à sa place.

Je pose séant et lui caresse le bout du pif du didi. C'est la première fois que je suis en possibilité de caresse. Super-Matou m'aurait attaqué la paluche de son… de son… Le débit lacrymal pique un sprint de première mouillure.

Mézigue en mode complainte :

– Oh, Angus, Angus, je t'affectionne. Je t'affectionne plus que tout.

C'est alors que j'esgourde le son lilliputien, le mini grognement.

Moi en mode vocifération :

– Mutti ! Mutti ! Angus est de ce monde ! Il bouge ! Il est vivant !

Mutti en pose d'abattis sur mon épaule :

– Je sais qu'il respire encore, ma chérie. Mais quand j'ai raconté au vétérinaire ce qui s'était passé et que je lui ai décrit son état, il a déclaré que les organes vitaux étaient vraisemblablement touchés et que le mieux, le plus charitable, serait de le piquer. Il arrive d'ici une minute ou deux et emmènera Angus à son cabinet et...

Bibi en bondissement de saumon :

– Mézigue vive, Super-Matou ne sera pas piqué. Une supposition qu'un quidam s'y essaye, une certitude que je le trucide. Je te le certifie sur facture, Mutti. Le piquage ne passera pas. Tu es en devoir de l'en détourner. Je l'en détournerai.

Coup de sonnette à la lourde.

Trente secondes après Le véto me décoche l'œillade circonspecte, car je dois avoir la bobine de tueuse.

Sézigue :

– Je vais jeter un coup d'œil à la bestiole.

Le véto opère la courbette en douceur et en vue de soulever la patte du félidé, qui retombe mollement. Plus aucun son ne se fait esgourder.

Le véto *mit* soupir :

– J'ai peur qu'il ait des blessures internes. Tout bien considéré, le plus charitable serait de le...

Mézigue :

– *Le négatif !*

L'homme de l'art me darde l'œillade, conjuguée secousse de caboche.

Bibi :

– Je vous en supplie, plie, essayez. Je l'affectionne.

Ce disant, j'ai la pompe à chouinade qui remet le couvert.

Je délivre la caresse au museau d'Angus, qui me répond par le mini grognement (Angus, pas le museau).

Moi au véto :

– Vous avez entendu ?

Après deux minutes de cogitation, le gus me dégoise ce que voici :

– Entendu, je vais essayer, mais je vais être honnête avec toi : très peu de chats survivent à ce genre d'accident.

S'ensuivent un empaquetage d'Angus en couvrante *und* promesse de lui passer la radio *und* lui brancher le goutte-à-goutte *und* lui prodiguer tout soin dispo en cabinet.

Votre serviteuse au véto :

– *Le merci.*

Et contre toute attente, je lui octroie l'accolade.

Or je vous ferai dégoiser que l'homme exhibe la pilosité faciale.

En cabinet de véto

Super-Matou est total bandé, y compris la queue, et n'a plus poussé le grognement depuis celui qui accueillit ma caresse de museau. Il a l'abattis perfusé et la langue qui pendouille au balcon.

Mais le pendouillement ne me déclenche pas l'irritation. Je doute que l'agacement me gagne à nouveau *und* à son endroit. Une supposition que Super-Matou ressuscite, une certitude que je pourvois à tous ses desiderata.

Mézigue à Jasounette qui me tient toujours la compagnie :

– De retour en cambuse, je compte implorer le petit

Jésus au chapitre Super-Matou. S'Il lui accorde la vie, je m'applique à devenir la bonne personne.

Je précise que la résolution inclut le tripotage de frange de Jasounette *und* le falzar en cuir de Vati. C'est blablater la gravité de la chose.

Angus passe la nuitée chez le véto et celui-ci m'autorise à revenir demain matin dès potron-minou.

L'homme affiche le harassement, conjugué tristessitude. Par ailleurs, je réalise qu'il est surdéveloppé de la barbe. *Le négatif, le négatif,* je refuse le véto barbito-tristesso-harassé. J'exige le véto d'*Urgences*, en beautitude et dynamisme réunis qui me réconforte de la sorte : « J'ai réussi, le félidé va s'en sortir. Je vous passe la bonne journée. »

Docteur Barbiton :

– Je veux que tu saches que j'adore les animaux et je comprends ce que ce chat représente pour toi, mais je ne suis pas très optimiste. Si je le laisse en vie, il risque de mourir d'ici quelques heures d'une blessure que je ne pourrai pas soigner.

Mézigue :

– Super-Matou ne décédera pas. C'est le fait.

Jasounette me propose de rester en cambuse *mit* mézigue, mais je décline. J'ai de la prière sur la planche. En partance, la potesse me dépose le poutou en joue. Certes, l'obscurité est de mise, nonobstant, l'attention est chou.

Jeudi 25 août

En aube

Je doute avoir sombré dans les abattis de Morphée, me contentant du piquer de blair de temps à autre.

Au réveil, la vie affiche le normal l'espace de la seconde, mais le souvenir du drame me revient aussitôt. Même Gordy, non mondialement reconnu comme le gus attentionné, se blottit contre ma personne et fait l'impasse sur l'attaque d'arpion, y compris en gigotement.

Cinq minutes après Mini-Bigleux vient de poser séant sur mon nunga-nunga et me décoche l'œillade de sa mirette jaune, au singulier, étant octroyé que l'autre zieute par la fenêtre. Il fixe ma personne sans cligner de la paupière et expectore le son croassant, sous-esgourdant qu'il fume trois paquets de clopes par jour. S'ensuit une descente de paddock par le biais du bond.

À mon avis perso, Gordy se doute de quelque chose. Il est au jus concernant Angus et milite pour mézigue.

Même s'il penche vers l'homosexualiste mi-félidé mi-canidé, peu me chaut. Seul compte l'amuuuuur.

Dix minutes après Jeter de globe oculaire par le carreau. Gordy joue au nonos *mit* les Frères Dugenou !

La chose ne dégage pas la correction.

Dire que son géniteur gît en cabinet de véto et que le fiston batifole *mit* le canidé à bouclettes ridicule. Décidément, minimatou n'a aucune fiertitude.

Cinq minutes après Le souvenir de mon serment au petit Jésus me revient. Ne Lui ai-je pas promis d'afficher la tolérance, mâtinée joyeuseté, à l'égard de tout un chacun ? Trucmuche irritant compris.

Je prends la profonde inspiration et regarde Gordy

se divertir joyeusement *mit* créatures créées par Notre Seigneur.

Certes, créatures à bouclettes irritogènes *und* aboyogènes, nonobstant créatures de Notre Seigneur.

De l'autre coude, le quidam affectionnant l'asticot est rare. Néanmoins tel n'est pas l'important. M. et Mme Asticot l'apprécient. Possiblement. C'est tout ce qui compte.

Oh, tais-toi, cervelet. Contente-toi d'aimer toute une chose et mets-toi au boulot.

7 h 30 Je Vous en supplie, plie, faites qu'il vive. Plie. Je me prépare la céréale chocolatée, mais ne peux l'ingérer. Je remarque que Mutti arbore la bouf-fissure de mirette. Rapide détour par la salle de bains en vue d'une vérif en miroir. Nom d'un balbuzard pêcheur sur écoute, j'ai perdu le globe oculaire. Il s'est fait la valise pendant la nuit. Je suis ni plus ni moins que le pif surmonté du sourcil. Et l'emplacement de feu ma mirette est plus douloureux que la douleur. Par le fait, tout l'ensemble corporel est en souffrance.

Mutti :

– Maintenant que Grand-Vati est rentré, je vais lui demander de garder Libby quelques jours, le temps que tout ceci soit terminé. Enfin, tu vois…

Moi :

– Le temps que Super-Matou rentre en cambuse en vue de son rétablissement ?

La mère de famille en décochement d'œillade :

– Georgia… tu sais ce que le véto a dit.

Mézigue en mode vociFératoire :

– Il ne sait couic. De toutes les manières, comment veux-tu qu'il reconnaisse l'animal souffrant à travers l'épaisseur de sa toison barbale ? À moins qu'icelui pousse l'aboiement ou le hennissement.

Mutti :

– Calme-toi. Il fait de son mieux.

– Il a intérêt.

Une minute après Le bonjour, Notre Seigneur *und* petit Jésus. Il se peut que je fournisse la mauvaise impression au chapitre docteur Barbiton, dans le sens où je sous-esgourdai que le gus n'était que le bouffon poilu. Je tiens à souligner que je l'exprimai à la manière allègre.

Une minute après Chers NS *und* PJ, je suis au regret de mettre fin à la communication, car une halte au service pipi et Cie s'impose à moi.

En cabinet de véto

9 h 00 Je ne vous raconte pas le tortillon de bidon en salle d'attente. Au bout du compte, l'infirmière conduit nozigue (Mutti et moi) dans le quartier des cages. Plus affligeogène, tu décèdes. Des minous sous médication, la perfu en abattis, le pansement à gogo, la courbe de température affichée, en veux-tu en voilà. Super-Matou gît en cage. Il n'a pas bougé depuis la nuitée dernière. Nonobstant la petite machine à laquelle il est relié égrène le clic-clic. Conséquemment, il respire.

Docteur Barbiton en surgissement à nos côtés :

– Aucun changement, j'en ai peur. Il est préférable que vous vous prépariez psychologiquement à son départ. Tous ses organes internes sont tuméfiés, suite au choc. Je suis incapable de vous dire la nature de ses blessures, mais je suis certain qu'il est victime d'une hémorragie interne, si bien que…

En cambuse

11 h 00 Mutti s'est trissée au boulot. La femme me proposa de se faire porter pâle, en vue de rester *mit* mézigue, mais je sais qu'elle risque le tracas. Et, de toutes les manières, elle se serait fait tellement tartir qu'elle n'aurait pas manqué de me narrer des trucs et des machins sur sézigue, Vati *und* dauphin intérieur. Ou me faire partager son désir d'assouvir sa créativité en devenant ballerine du ventre pour bal de pompier.

Subséquemment, l'un dans l'autre, je préfère être seulabre.

Cinq minutes après Je ne tiens pas en place. J'ignore que faire.

Dix minutes après Coup de bigo de Jasounette. Le Top Gang se fait la rando. La rando en décontracture au parc. Mais en réalité réelle, la fille espère que le gus dispute la partie de foot, qui lui fournira l'occase de tomber sur sézigue par le truchement de l'inadvertance et de résoudre dans le même temps l'énigme « À plus » *und* « Un de ces jours ».

Miss Frangette déploie la gentillesse de première catégorie à mon égard, bien qu'il faille déplorer la mastication qu'elle m'impose en esgourde. Je fais néanmoins l'impasse sur la remarque, étant octroyé que je promis l'amabilité à tous les étages à Notre Seigneur.

Sézigue :

– Viens avec nous. La rando te distraira. Et tu peux obtenir le bronzage de bon aloi tout en étant éplorée. Ce pourrait constituer le bonus pour le retour de Scooterino.

Trognonne. D'autant que la fille ne lésina pas sur le câlin consolateur à l'annonce de l'accident de Super-Matou. Et je sais qu'elle en bave des ronds de chapeau au chapitre Tom. Conclusion, je réponds que je me joins.

En parc

Ouaouh ! La température affiche l'exceptionnel. La cantonade se répand sous le végétal, dans le but de procéder à sa séance bronzage d'us. Petit rappel pour les oublieux : guiboles directement exposées aux rayons de l'astre solaire et reliquat corporel à l'abri du feuillage. Seule exception, Roro, dont la méthode diffère et requiert de Sven qu'il se poste debout derrière elle et lui étende la veste au-dessus de la caboche, en vue de créer l'ombre rafraîchissante. Le géant est en plein débit d'ineptie à sa façon.

L'écouter provoque l'apaisement. Comme le fait judicieusement remarquer Jools, la converse de l'Eskimo change les cogitations de toute une chacune, car elle semble posséder le sens, or le nenni.

Sven :

– *Ja* et quand je présenterai ma fiancée, Rosie, à mes gens, ils riront, chanteront, tueront le hareng et confectionneront le chapeau avec.

Ce ne se peut.

Mézigue à Rosie :

– Ne me dégoise pas que les Mutti et Vati de Sven vont te confectionner le couvre-chef en hareng ?

Sézigue :

– Si, c'est trop chou, non ?

Sur ces entre-fêtes, Rollo hèle le géant de l'autre bout du parc :

– Hé, Sven ! Ça te dirait de jouer au foot, vieux ?

Le géant ne se fait pas prier et file telle la bise.

En redressement sur séant, j'avise Rollo, Tom, Declan, Edward *und* Dom tapant dans la baballe.

Ellen, Jas, Jools et Mabs perdent illico le contrôle de leur personne et se précipitent derrière le tronc du végétal en vue de se tartiner le faciès à l'abri des zieutages.

Jools :

– OhmonDieu, vous croyez que Rollo a vu ma guibole ? Elle est tellement pâle. En cambuse, elle semblait pencher vers le correct, mais en parc, je suis quasi aveuglée par elle.

Mabs :

– À votre avis perso, j'ai la pustulette en embuscade en zone mentonale, voire la fossette ?

Même Jasounette s'est mise en mode tripotage de frange frénétique. Et Ellen manque de peu la chute de caboche à force de n'importe quoi.

Je leur décoche l'œillade. Plus superficielles tu trépasses. Je doute qu'à l'avenir, je m'inquiète de mon aspect. Si ça se trouve, je renoncerai à me faucher le poil de guibole.

Par le fait, telle est la proposition que je pourrais faire au petit Jésus si d'aventure Il rendait la santé à Angus. Par mesure de solidarité *mit* mon poteau velu, je laisserais ma pilosité corporelle fôlatrer follement à sa guise, jaillir en sommet de rotule ou me pousser si bas en dessous d'abattis que je serais en mesure de la tresser.

Je m'en battrais la mirette avec une patte de fourmi.

Trente secondes après J'ose espérer que même le Dieu courroucé n'irait pas jusqu'à exiger de mézigue la barre de sourcil unitaire.

Jools en zieutage des joueurs de foot :

– À votre avis perso, ils vont nous dégobiller la visite ?

Mabs :

– On ne s'approcherait pas en décontracture ? Ou ce serait contrevenir à la règle de l'élastique ?

Ellen :

– Euh, à quoi, je veux dire, à quoi ressemble la règle de l'élastique ou quelque chose ?

Mabs :

– Tu ne te rappelles pas ce que Georgia avait trouvé dans *Comment séduire à coup sûr le dernier des caves* ? Le conseil préconisait de déployer la glaciosité à l'endroit du gus, puis de le laisser revenir tel l'élastique.

Sur ces entre-fêtes, il advient le trucmuche qui nous économise la fomentation du plan.

Robbie débarque sur zone à dos de scooter, chevauché à l'arrière par Lindsay la Nouillasse !

Nom d'un guillemot à miroir en ligne de bataille. Le Top Gang me décoche l'œillade généralisée.

Comment se fait-ce que la Nouillasse soit sur son scooter ? Par ailleurs, le gus n'avait pas le motocycle la dernière fois que je le vis. Si ça se trouve, il veut ressembler au Sublimo. Plus étrange, tu meurs.

Note, pas aussi étrange que la Nouillasse accrochée telle la ventouse à sa taille.

Les deux n'ont pas plus tôt ôté leur casque que la Marrade se pointe à travers les végétaux, paluche dans paluche *mit* Emma !

Redécochage d'œillade du Top Gang à mon endroit.

Roro :

– Diantre !

Cinq minutes après La cantonade exprime le désir d'aller zieuter la partie de plus près, en vue de savoir de quoi il retourne.

Une supposition que je ne me joigne pas au groupe, une certitude que j'affiche l'air de la fille qui se chaut de ce qui se trame entre Super-Canon *und* Miss Sans-Front-Guiboles-de-Phasme. Ou que j'évite le couple la Marrade *und* Emma. Je ne suis ni plus ni moins qu'environnée par le popo.

Après trois siècles d'entartinement (pas mézigue, les autres. J'appose juste le gloss… *und* chouia de mascara, conjugué eyeliner… *und* lichette d'autobronzant facial… mais uniquement dans le but de me montrer farcie à la bravoure et non à la vanitosité, tel le reliquat de mes potesses), toute une chacune se propulse en vicinalité de gus, bibi clôturant la marche. Je suis en obligation de garder souvenance que je suis la fiancée d'un Sublimo. Rendu en limite de terrain de jeu, le Top Gang est reçu par le sifflet *und* vocifération du footeux qui n'en continue pas moins de taper dans la baballe.

Rollo :

– Reculez les filles, c'est un jeu d'hommes !

Declan ajoutant son grain de poivre :

– Visez la passe ! *Yessssssssssss !*

Sur ces moches paroles, il catapulte le ballon d'un coup de caboche pile en but (deux vestes et une canette de boisson gazeuse). S'ensuit un prétendu reniflement de gazon, lui-même talonné par une tape de fessier. Toute la gent gus lui emboîte le geste ! Je le dégoise pour la énième fois, car je ne m'en lasse point, le garçon est vacciné à la bizarrerie pur sucre.

Pendant que la Marrade *und* Super-Canon enfilent le croquenot de foot, la Nouillasse me décoche le zieutage à fort taux de mortalité, le séant sur le siège de motocycle, la jupe taille poupon. De mon point de vue perso, revêtir la susmentionnée en vue de chevaucher le scooter est plus nul que la nullité. Certes, je le fis, mais jamais comme elle.

Je détourne la mirette de sézigue, sentant l'urgence de vociférer un trucmuche à propos de Scooterino sans plus tarder. Inutile de me prendre le chou. Dom, qui passe en dribblant à proximité de ma personne, m'économise le tracas.

Dom :

– J'ai eu un coup de grelot de Mas. Il paraît que tu vas le rejoindre au Pays-de-la-Mozzarella-et-Tomates-à-la. *Hasta la vista*, poulette !

Sur ces entre-fêtes, le gus se prend la méchante empoignade par la face arrière de la part de Sven, empoignade qui engendre illico la discussion belliqueuse.

L'attention de tout un chacun se tourne vers la rixe et je sens comme qui dégoiserait une présence derrière mézigue. Super-Canon ! Je lui décoche l'œillade qu'il me renvoie par retour du courrier, *mit* gravité. Il est à deux didis de me dégoiser un trucmuche quand la Nouillasse se manifeste.

Guiboles de Phasme :

– Robbie, mon cœur, tu irais me chercher un soda avant de reprendre le match ?

Super-Canon marquant l'hésitation, puis amorçant le retournement de sa personne :

– D'accord, ma jolie.

Sur ces hideuses paroles, il se trisse en direction du kiosque à bonbecs. Plus nul *und* étrange, tu péris.

La Nouillasse en profite pour descendre de motocycle et s'approcher de moi. Le reliquat du Top Gang étant regroupé autour des pugilistes, elle me chope seulabre.

Non-Front en méga vicinalité de ma personne :

– Si tu me sabotes cette affaire, Nicolson, ta vie au bahut ne vaudra pas le coup d'être vécue. Cette année, je suis chef surveillante et si je trouve un moyen de te pourrir l'existence, je le ferai. Cette fois, Robbie est à moi. Il en a assez des nulles. Taratata.

Et elle se carapate, laissant un sillon baveux derrière sézigue.

Oh, *le trop merveilleux !* Vivement le retour au Stalag 14 ! Que nenni.

Mais le souvenir d'Angus me revient et je me dégoise que s'il passe à trépas, je ne remettrai plus les nougats au Stalag 14. Je prendrai le travail, à moins d'enfiler la blouse de bénévole en refuge de minous en contrée étrangère ou je ne sais quoi. À ce propos, je me demande comment il va.

Tout seul chez le véto. Si ça se trouve, il souffre de la solitude *und* chocottes. *Und* douleur. *Und*…

Obligée de lui dégobiller la visite je suis. Conséquemment, je décide de me rendre chez le véto pas plus tard que tout de suite, dans le dessein d'obtenir la *news*. Inutile de prévenir la cantonade. Elle percutera et, de toutes les manières, elle est trop occupée à se dandiner devant le gus.

Aussitôt décidé, aussitôt trissée. Le chemin vers la sortie m'impose de passer devant Emma *und* la Marrade, qui s'apprête à rejoindre le jeu de balle. Contrainte d'afficher la naturalité à tous les rayons.

Mézigue en cheminement *mit* enthousiasme :

– Lut, Emma ! Lut, Dave. Bande de vieux croûtons. Je m'attarderais bien avec vozigue, mais j'ai ma ration d'échauffourée pour l'été. À plus.

L'expert en poilade et en arrêt de laçage de croquenots :

– Ça gaze, Georgia ? D'habitude, tu n'es pas contre le bourre-pif.

J'affiche la risette farcie à la sophistication toutes saisons et suis à un didi de remettre la marche avant quand Emma blablate ce que voici :

– Je parlais de toi à Dave, à l'instant. J'ai adoré ta « matelote viking ». Tu la danseras au prochain concert

des Stiff Dylans ? C'est vrai que tu pars en Italie retrouver Massimo ? C'est trop bien, non, Dave ? C'est
l'amuuuuuuur ou je ne me trompe. Quand pars-tu ?

La fille exhale la gentillesse souriante à plein nez.
Warum ? Warum exhale-t-elle ? *Warum* garde-t-elle la
paluche sur la perruque de la Marrade en perma-
nence ? Redoute-t-elle une chute de si elle la retirait ?
La Marrade me décoche l'œillade. Quelle est la
réponse idoine ?

Je suis limite sur le point de débiter le trucmuche
élégant *und* hilarogène, voire de fredonner *O sole mio*,
au cas où mon cervelet se défausserait, mais m'en
trouve incapable. La mirette de l'expert renferme le je-
ne-sais-quoi, qui m'oblige à dire la vérité.

Mézigue :

– Ben, en fait, mon félidé... n'est pas en top forme.
Il s'est fait renverser par l'auto... Conséquemment, je
fais l'impasse sur le déplacement au Pays-de-la-
Mozzarella-et-Tomates-à-la, dans le but de m'occuper
de sézigue.

Oh, nooooooooooooon. Je sens la larme taper au carreau. Il est temps de prendre le large. Ce que je fais à la
vitesse du son.

Chez le véto

17 h 00 Angus est toujours en gisement. D'après
Véto Infos, aucun changement n'advint et
par ailleurs, le toubib se dégoise surpris que le félidé
soit toujours de ce monde. L'annonce m'est annoncée à
la sauce gentille, nonobstant, je lui filerais bien le pain.

Lui :

– Ce matin, j'ai parlé à ta mère. Le problème est que
garder Angus ici coûte très cher et, vois-tu... peut-être
que tes parents... ne peuvent...

En retour en cambuse

Oh, je suis en trop-plein d'affliction. J'ignore total que faire. Je me refuse à laisser choir Super-Matou. Je refuse.

Vautrée en paddock

18 h 30 Intrusion de mère en chambre, qui m'annonce le retour de ma sœurette en soirée.

Mézigue :

– Que vas-tu blablater à Libbounette ? Que Mutti et Vati sont trop canidés pour faire soigner Angus, son gros minou « aibé » ?

Mutti en éclatement en sanglots :

– Oh, Georgia. Tu es trop injuste.

La mère de famille est dans le vrai, par le fait. Je lui pose l'abattis sur épaule.

– Le pardon, Mutti. Je ne le pensais pas.

Nom d'un bécasseau à longs doigts sous hypnose. On n'est ni plus ni moins qu'à l'hôtel des Cœurs-Brisés et je suis logée à la suite Lacrymale.

21 h 00 La douce enfant est en paddock *mit* mézigue. Je me fade la lecture de *Cendridri* et de *Heidi* en double exemplaire. Résultat des courses, j'ai le cervelet qui tourne au potage.

La gosse se blottit contre ma personne *mit* M. Tête de Patate (qui se résume à la patate surmontée du couvre-chef de l'enfant) et Gordy se joint à la canto-nade, entamant aussi sec une bataille de genoux de bambine sous couvrante. Libby hulule sous l'effet de l'hilarité, assortie coup de patate à Mini-Bigleux.

Icelle :

– Hahahahahahahahha ! Minou coquin. Descends, maintenant !

Aussitôt dégoisé, aussitôt descendu, par le biais du lancer de chat. Mini-Bigleux est pris de secousse, mâtinée éternuement *und* grognement, provoquant une nouvelle rasade d'hilarité de la part de la gosse.

Sézigue :

– Gordy adore voler. Câlin, Georginette.

Sur ces entre-fêtes, elle me coince la caboche au creux de l'abattis et me suçote l'esgourde, en poussant des « Mmmmmmmmmmmmmm ».

Pas plus tard que quelques instants plus tard, l'enfant met fin à la suçotation et enclenche la miniturbine à ronflement. Je lui zieute le faciès au clair de lune. Elle est vraiment trognonne (inconsciente). Je me refuse à ce qu'elle expérimente la tristessitude ou le tourneboulement. Je lui dépose le poutou en caboche. Beurk, la gosse dégage la senteur de frometogomme. Avec quelle substance se tartine-t-elle ? Elle bouge dans son sommeil *und* tend l'abattis potelé en l'air. S'ensuit un redressement de sa personne.

– Georginette, où est gros minou ?

Nom d'un martinet ramoneur en voie de développement.

Mézigue :

– Il est à l'hôpital des félidés. Il s'est fait mal à la patte.

Libby en descente de paddock :

– Viens, Georginette. Allons le chercher.

Et elle enfile la botte de caoutchouc sur pige-moi-ça, le cervelet toujours en semi-coma.

J'amorce la réponse quand elle me balance M. Patate à la face en agitant le didi.

Sézigue :

– Ne commence pas, vilain garçon. Lève-toi.

Au bout du compte, convaincue que Super-Matou en écrase sévère et que j'irai le quérir au matin, la mouflette rejoint les abattis de Morphée.

Libby n'accepte de se rendre en crèche que si Angus réintègre ses pénates.

Je décoche l'œillade à la mère de famille, qui me la retourne. Mais se décocher n'avance à couic.

9 h 00 Coup de bigo. Notre Seigneur. Et si c'était le véto ?

Une supposition que je ne réponde pas, une certitude qu'il ne me délivre pas l'info indésirable. Nonobstant...

Je décroche le combiné. C'est Dave la Marrade !

– Georgia, que se passe ?

– Oh, Dave, c'est Angus *und* le véto blablate que *und* il a des tubes partout *und* la langue au balcon *und* même sa queue est cassée *und* Libby m'a ordonné d'aller le chercher *und* elle avait ses bottes en caoutchouc sur pige-moi-ça *und* c'est trop pour mézigue.

La pompe à chouinade rentre illico en action. Rebelote.

La Marrade :

– J'arrive. Voile-toi le nunga-nunga.

Chez le véto

10 h 30 Observation de Super-Matou en cage en compagnie de l'expert.

La Marrade :

– Diantre, il est un peu tordu.

Soudain, je ne supporte plus de voir Angus en cage. En endroit bizarre.

Moi au docteur Barbiton :

– Je le ramène en cambuse.

L'homme tente la dissuasion.

L'hystérie commence à gagner ma personne. Je dois rapatrier mon matou. Il le faut. S'il devait passer à trépas, je veux l'avoir *mit* mézigue, dans son panier perso.

La Marrade déploie l'excellence. Il pousse même le bouchon jusqu'à donner du « professeur » au véto.

Sézigue à Barbiton :

– Nous savons que vous fîtes le max, professeur, mais Georgia souhaite à présent s'occuper de son chat. Conséquemment, nous le ramenons en cambuse.

Le véto sur le mode fourré à la gravité :

– Je te préviens, Georgia, il se peut qu'il soit violent, voire dément, au réveil.

La Marrade :

– D'habitude, j'affiche plutôt la bonne humeur, professeur.

En dépit de la merdicité situationnelle, la remarque de l'expert m'arrache l'embryon de risette.

Barbiton :

– Je parlais d'Angus.

La Marrade :

– Vous auriez dû le connaître avant son accident, professeur.

Une fois n'est pas d'us, le véto s'esbaudit.

Icelui :

– Effectivement, j'ai consulté les notes de mon prédécesseur concernant l'opération qu'a subie Angus et il fait état d'un comportement sauvage de la part de l'animal. Pour être franc, le rapport préconise de ne plus jamais laisser le chat passer la porte du cabinet.

Deux heure après Une fois Super-Matou installé confo, les choses tournent au bizarre. La Marrade, qui zieute le félidé de l'autre côté du panier, lève la mirette, nos caboches à touche-touche.

L'expert en poilade :

– Ne chouine plus, Gee, tu vas te choper de la douleur de globe oculaire.

Paroles qu'il accompagne de la caresse de faciès.

Je lui décoche l'œillade qu'il me renvoie. Oh, oh.

Lui en relever subit de sa personne :

– Je ferais mieux de mettre les voilages, Super-Coq… Gee. J'ai rencard avec Emma à six heures.

Je lui emboîte le pas au rayon relever *mit* vélocité, assortie de la risette. Cependant, j'ai la babine raide.

Moi :

– *Oh, le positif, le positif,* bien sûr. Je te vote juste le merci massif.

L'espace de la seconde, le gus semble au bord de me bécoter, mais il se reprend et me gratouille la zone submentonale.

Sézigue :

– N'oublie pas que je ne suis pas Notre Seigneur en falzar, mais simplement Dave le Grand…

Sur ce, l'expert se trisse.

23 h 00 Angus réside en buanderie et en panier perso, sous la couverture de grand format. Il n'a pas bougé ni couic depuis des lustres. De retour en taxi, il émit le miaou de petite importance. De petite importance, certes, mais le miaou.

La mirette, il garda close. Nonobstant, le miaou penche vers le bonus, à mon avis perso.

Le félidé ouvre le globe oculaire de-ci *und* de-là, mais il a le zieutage flou, qui pourrait sous-esgourder qu'il a abusé de l'herbe-aux-chats. Secondée par Libby, je l'abreuve par l'intercession de la pipette, le véto ayant préconisé l'hydratation du félidé.

23 h 00 Mes tâches dûment remplies, j'intègre enfin mon paddock. Tout bien considéré, je suis l'être humain *le formidable*. J'ose espérer que le petit Jésus s'en sera aperçu. Pas impossible que je me procure l'uniforme d'infirmière pas plus tard que demain. Libby a déjà revêtu le sien.

Et une supposition que Super-Matou ait effectivement le cerveau calciné ou qu'il ait perdu le mode d'emploi du cheminement ou quelque chose ? Ai-je agi idoinement ? Et une supposition que je me trouve en obligation de le pousser en chaise roulante spéciale félidé le reliquat de son existence ? Pas un gus de compagnie ne le supporterait.

23 h 20 Cependant, je le ferais. Si le matou revenait à sézigue et reconnaissait mézigue, je serais la fille comblée.

Dimanche 28 août

Descente en rez-de-venelle en vue d'ausculter Angus. Il ouvre la mirette et me pousse le miaou à forte teneur en corbeau ! ! ! ! !

Hourra, fichtre et diantre ! Comme dégoiseraient

Billy Shakespeare *und* Cie. *Le merci, le merci*, petit Jésus !

Votre serviteuse en penchement sur panier de chat :

– Bonjour, mon poteau velu, c'est mézigue !

Je lui passe la caresse de faciès, à laquelle le matou répond par le ronron ! Ronron qui me déclenche aussi sec la remise en marche de la pompe à chouinade. Et puis flûte, chacun pour soi. Si on ne peut plus se payer la bonne tranche lacrymale quand son félidé rate de peu l'aller simple pour le paradis des minous, alors quand ? Je pose la question.

Je file en cuisine sonder le frigo qu'en prévision d'éventuels desiderata de Super-Matou, je garnis de friandises spéciales félidé. Crème et tout le toutim.

Je suis d'avis d'inventer le sorbet à usage de chat prénommé le charbet. Vous percutez ? Elle est bonne, non ? *Le trop bien,* je suis en proie à l'hystérie de première fraîcheur. Hourra !

Transport de jatte de crème en buanderie. Super-Matou gît, la caboche pansée, le point de suture à gogo, la queue attelée, mais la mirette ouverte. J'introduis un didi en crème et le présente au malade. *Primo*, pas de réponse, mais soudain le félidé passe la langue par le portillon et lèche la crème. Notre Seigneur, j'avais oublié son immonde langue, la sensation avoisine le léchage par l'individu affublé de la langue doublée papier de verre. Possiblement. Je m'enquérrai auprès de Rosie de l'expérience du bécot *mit* le susmentionné. La potesse la vécut forcément !

Hahahahahahahaha. Possible que la jauge à joyeuseté remonte, mon cervelet se fait la converse tout seul à base de billevesées habituelles.

Impossible de rater le trop-plein d'Angus au chapitre crème, la bestiole me plante la canine en didi *mit* vigueur. J'en conclus qu'aucun dommage n'est à déplorer côté mâchoire !

Coup de bigo au Top Gang dans le but de lui délivrer la *news*. Tout une chacune se vomit chez Jas en vue d'un barbecue cent pour cent fille.

Jas :

– Dis, Gee, tu viens à mon barbecue cent pour cent fille ?

– Qui officie au brasero ?

– Mon Vati.

– Subséquemment, le barbecue n'est pas cent pour cent fille, je me goure ou je me goure ?

Note à bien y cogiter…

Nonobstant, je ne peux m'y rendre. J'aimerais, étant octroyé que je n'ai pas zieuté l'être humain depuis des siècles. Mais l'idée de laisser Super-Matou en si piètre forme est au-dessus de mes forces.

(Je dégoisai ce que voici à Mutti pas plus tard que plus tôt :

– Oh, si seulement j'avais l'humaine compagnie en délivrance de soins à Angus.

– Je te signale que je n'ai pas bougé d'ici.

– Comme je le blablatais, si seulement j'avais l'humaine compagnie.

La mère de famille enfourcha illico ses grands équidés et s'en fut prendre le bain. Son départ en ronchonnade date de la paire d'heures. Je me demande quelle occupation la retient en salle de bains. Décidément, la femme est *sehr sehr* égoïste.)

Jas :

– On se livre à de la manucure mutuelle *und* essayage de maquillage. Ça te dit ?

La tentation est forte.

Mézigue :

– *Le négatif*. Je ne puis. Super-Matou est *le trop*

souffreteux. Mais tu me passerais le coup de grelot en vue du topo commérage ?

– *Le positif*, Infirmière Ière. De toutes les façons, je te dégobillerai la visite demain aprèm'. Au fait, je me suis baladée avec Tom hier, c'était trop top. Que je te raconte. On a zieuté un vulcain et je te ferais dégoiser que c'est méga rare. De mon point de vue perso, je le considère comme le signe d'espoir et...

– Jasounette, Mutti est possiblement sur le point de sortir de salle de bains et mézigue d'y mettre les arpions, ce qui constitue une première depuis cent ans. Subséquemment, conserve le point de vue sur le trucmuche mitiforme et...

– Je te signale que le vulcain est un papillon. Or la mite est...

– *Byeeeeeeeeeeeeeeeeeeee.*

Nom d'un torcol fourmilier ceinture noire de judo, je manquai de peu culbuter en Campagnoland par le truchement de l'inadvertance.

Lundi 29 août

Aussitôt réveillée, aussitôt descendue vérifier l'état de santé d'Angus. Gordy sommeille de concert *mit* sézigue. Trop trognon. Mini-Bigleux est méga blotti contre son Vati.

Note, Angus serait peut-être moins jouasse s'il connaissait les tendances homosexualistes de son rejeton.

Débarquement de Jas en cambuse en vue de me tenir compagnie. L'aprèm' est consacré à divers essais de déambulation à forte teneur en sexe-à-piles. Personnellement, en tant que moi-même, je peaufine ladite spéciale plage.

Jas :

– Tu as l'arpion qui tourne en dedans, tel le canard.

– Jasounette, je te ferais dire que c'est intentionnel. Telle est la déambulation du top model.

– Ah, bon ? *Warum ?*

– J'ignore *warum*, mais c'est le fait. Je blablaterais même plus, c'est *le règle*. *Warum* le top model range la langue derrière la quenotte du bas quand il décoche la risette ? Je l'ignore, c'est *le règle*. Point et virgule. Revenons à nos brebis.

Mais Miss Frangette s'est trissée en Jasland.

Sézigue :

– De toutes les manières, pourquoi pratiquer la déambulation de plage, étant octroyé que tu ne vas plus chez les Mozzarella ? Ce qui me rappelle que Dom a dit à Tom que Scooterino lui avait passé le coup de grelot et que le Transalpin était méga jouasse que tu viennes. Il le serait moins s'il te zieutait en train de te pavaner tel le palmipède. Et s'il savait que tu lui fais faux bond.

J'effectue la pause déambulatoire en vue de lui assener le coup d'oreiller.

Note, la potesse n'a pas tort.

Mézigue :

– Jasounette, tu essaierais de grelotter le numéro que Scooterino m'a donné ? Je refis la tentative hier soir qui se solda par la retombée sur Gros-Bob du Yorkshire. Je lui raccrochai au pif, mais je mettrais ma main à la scie sauteuse qu'il me reconnut.

– Non.

Trop sympa.

21 h 00 Je me demande *le pourquoi* de l'absence de *news* en provenance de Scooterino. À l'heure de maintenant, le Transalpin est probablement redescendu de la montagne. Sont-ce des montagnes ou bien des montagnas en transalpin ?

Le gus attendant mon arrivée d'une seconde à l'autre, comment saurait-il la date de s'il ne me passe pas le coup de biniou ? Si ça se trouve, il est en chiffonnada pour cause de mon non-grelottement.

Coup de bigo à Jas :

– Je t'en supplie, plie, Jasounette, file-moi le coup de paluche pour savoir si j'ai le bon numéro de grelot. Je t'en supplie, plie, plie.

– J'ai le masque de faciès en pose.

– Ben, quand tu l'ôteras.

– Je passe en séance cuticules.

Raccrochement de combiné *mit* violence. Que cette fille est irritante ! Oh, que faire ? Qui pourrait avoir le numéro de Scooterino ?

Miaulement d'Angus. Super-Matou commence à se faire tartir en panier de douleur. Obligée de lui agiter le trucmuche devant le pif afin qu'il lui mette le bourre-pif.

Une demi-heure après Minipause au rayon soins intensifs.

Coup de bigo à Rosie.

– Roro, tu me dépêcherais le géant à la salle de billard zieuter si un des gus a le numéro de Scooterino ?

– Méga d'accord. Je te rappelle, *amigo*.

Quarante minutes après Aucun Stiff Dylans sur zone. Que faire ?

Vérif au rayon chat avant de monter me glisser en paddock. Gordy *und* Naomi *und* Libby squattent le panier de Super-Matou.

La douce enfant :

– Nuit Georginette, Libbounette dort avec gros minou.

10 h 00 Alunissage de l'enrobé du popotin, qui descend de la clownomobile, comme l'explorateur revenant de l'expédition polaire et non de la prétendue partie de pêche *mit* oncle Eddie. Je remarque qu'il n'arbore pas le poisson.

L'homme dépose le poutou en joue maternelle. La femme semble afficher l'embryon de timidité et ne dégoise pas grand-chose. Nonobstant, elle lui délivre le bonjour, non assorti du pain. C'est un début.

S'ensuit une visite de Vati au chevet d'Angus, qui lui file le choc de première intensité.

Vati en penchement sur le félidé, assorti caresse :

– Mon pauvre vieux. Tu as fait la guerre, on dirait ? Plutôt chou dans l'ensemble.

Moi en rejoignant Mutti en cuisine :

– Hum, on dégoiserait que…

Sur ces entre-fêtes nous parvient la vocifération que voici :

– Saleté de chat ! Tu as failli m'arracher le doigt !

Mézigue :

– On dégoiserait que père est de retour.

En paddock

Calme plat sur le front parental. Mutti et Vati tchatchent le volume baissé au mini en vue de ne pas être esgourdés par mézigue. Nonobstant, Mutti pousse le rire unitaire et le bruit de succion est perceptible. Euh… beurk. J'ose espérer qu'ils ne boulottent pas la confiote.

Minuit Je bats Jas plus glacé que la glace en raison de sa fixette sur sa stupide cuticule *und* refus de prêt de main-forte en vue de bigophoner à Scooterino.

Le Transalpin va forcément me passer le coup de biniou, non ?

Grelottement du grelot. Je bondis tel le cabri décrocher le combiné. C'est la Marrade.

– Lut, Gee, comment se porte Méga-Velu ?

La déception que ce ne soit pas Scooterino aurait dû envahir ma personne. Or, pour être franche du collier, la voix de l'expert me procure la sensation de chaleur.

Mézigue :

– Le félidé a mimé le chat endormi et souffreteux, mais quand Vati a posé la paluche sur son pif, celui d'Angus, pas le sien, sinon l'agissement aurait dégagé l'étrangeté, même pour mon Vati… bref, Angus l'a mordu.

La Marrade en fente de poire :

– Génial. Conséquemment, tu as le taux d'allégresse en remontée ?

Moi en mode débit accéléré :

– *Le positif*. Figure-toi que je vécus l'expérience désopilante et je mettrais ma caboche au lance-flammes que tu aurais été pris d'hilarité. En tentant de bigophoner à Scooterino, je tombai sur Gros-Bob du Yorkshire, qui se plaint de ne pas trouver l'œuf au vinaigre de bon aloi dans tout Rome !

– Alors, tu te trisses chez les Mozzarella ?

– Euh… ben… Je ne veux pas laisser Angus et, ben, je…

– Écoute, Georgia, il faut que je file telle la bise. À plus. Lut.

Ouaouh, plus abrupt tu trépasses. Je me demande *warum* le gus est en obligation de filer tel le zéphyr. Si ça se trouve, Emma s'est pointée sur zone. On serait en droit de cogiter que la fille aurait la décence d'attendre une seconde, on pourrait ? *Warum* l'expert me passe-t-il le coup de biniou s'il ne désire pas me blablater ?

Vous avez dégoisé bizarre ?

WARUM TOUT LE MONDE NE DÉGOISE-T-IL PAS LE GRAND-BRITTON?

8 h 00 Allégresse démontée. Angus tente la remise sur pattes *und* boulotte du manger de chat ! Libby le nourrit par l'entremise de la « uillière », l'essentiel de la pâtée passant par le conduit auditif du félidé, nonobstant hourra ! Et je dirais même plus hourra !

En vue de lui remonter le thermomètre à joyeuseté, je lui passe sa ritournelle préférée *Combien pour ce chien dans la vitrine ?* que j'agrémente d'un « tout schuss sur le disco » inopiné à base de « danse du bison ». Et, en hommage à sa qualité de chat, je substitue la patte à la corne au chapitre accessoire. Je ne suis ni plus ni moins que le génie du quadrille ! Même si Angus ne me déploie que la paupière close, assortie langue en pendouillement au balcon, je sais qu'au fin fond du tréfonds, la bestiole est secrètement ravie par ma gigue honorifique.

Du moins, c'est ce que je pense.

J'ai toute seulabre tiré Angus d'affaire par le truchement du soin.

Certes, j'obtins le coup de paluche.

C'était trop chou d'avoir la Marrade aux entournures pour aller chercher Angus chez le véto.

Sehr chou.

Deux minutes après Par conséquent, comment se fait-ce que le gus passe de M. Super Poteau à M. Trop Occupé pour me tailler la bavette au bigo de la seconde à l'autre ?

J'ose espérer qu'il ne vire pas gus de compagnie toutou qui obéit à sa copine au didi et à la mirette.

Si ça se trouve, il en pince vraiment pour Emma. En raison d'une expertise de la fille au chapitre bécot.

Par le fait, j'en doute. Elle a la lippe en déficit prononcé de volume et je mettrais ma mimine à la scie à métaux que le susdit entraîne le contact dentaire en numéro cinq sur l'échelle des trucs et des machins.

Beurk, *le négatif*. Je refuse d'avoir la Marrade en séance bécot *mit* Emma en cervelet. Je recours au fredonnement en vue de déloger l'image.

10 h 30 Grelottement du grelot.
Bibi :

– Les urgences, le *bonjour* ! Infirmière Nicolson au combiné.

Sur ces entre-fêtes, une voix dégoise ce que voici :
– *Mi dispiace*. Moi chercher Georgia. Elle pas là ? Scooterino !
Moi :

– Massimo, c'est mézigue, Georgia. Je tentai de te bigo… euh… *io* bigophonnio *ti*. Je tombai sur le gus du Yorkshire, dont j'ignore l'identité. Nonobstant, il passait la bonne vacance à Rome, mais… Je… Oh, c'est le trooooooooooooop bien d'avoir de tes *news*.

Le Transalpin en hilarité :

– Ah, Miss Georgia, toi drôle. Je revenu de montagne et me demande quand toi arriver à *Roma*. *Mi dispiace*… pardon pour mon anglais. Maintenant, je suis avec *famiglia*. Je semble *stupido*… comment vous dites, encore plus merdico.

– Le tracas, en fait, concernant ma venue, c'est que mon minou… Tu vois, mon…

Fichtre, comment dégoise-t-on chat en mozzarella ? Ce ne peut être chatio tout de même ?

Mézigue :

– Mon chatio n'est pas en top forme.

Sézigue en perplexité :

– Toi pas bien ? Pourquoi ? Quel problème ?

Oh, flûtio.

– Pas bibi, mon félidé. Angus est…

En vue d'illustrer mon propos, je lui expectore le miaou pathétique dans le creux de l'esgourde. Bien vu Ginette, en converse *mit* mon gus de compagnie gracieux à forte teneur en mozzarella, je mime le félidé. Excellent.

Au fil de la démo, Scooterino finit par percuter.

Sézigue :

– Alors toi pas venir visiter moi ?

Le tourneboulement me saisit à la gorge, mesurant son taux de tristessitude. Sans compter que je suis en désir de visiter la Ville éternelle. De l'autre quadriceps, possible que sur place je décède de faim et ne trouve le service pipi et Cie ni couic. Étant octroyé qu'il me faut l'éternité pour passer l'info à Scooterino qu'Angus est souffreteux. *Warum* tout le monde ne dégoise-t-il pas le grand-britton ? Le Transalpin serait-il atteint de paresse majeure ? Néanmoins, je fais l'impasse sur la remarque.

Vingt minutes après Et que je te blablate et que je te blablate. Pour être honnête, la converse ne dépasse pas le stade de la tentative, car la cantonade ne cesse de frayer dans les parages de Scooterino. Conséquemment, il passe son temps à vociférer des trucs *und* des machins en transalpin. Au nombre de la cantonade, on dénombre : le gus, la fille, la Mutti, le Vati, les tatas, les oncles, les canidés et je ne mettrais pas ma mimine à la faux, mais il n'est pas impossible que le perroquet ait également fait escale sur zone.

Nul doute que le Mozzarella est *sehr* sociable. *Und* accommodant. Une supposition que ma parentèle fût en cambuse lors de ma converse au bigo *mit* Scooterino, la criaillerie, hybridée juron, aurait été de mise. Pour la seule participation de Libby.

Sur ce le frangin de Scooterino s'immisce, conduisant icelui à déclarer ce que voici :

– *Cara*, Roberto et moi, nous chanter chanson avec cœur.

– Ben, pas la peine, je… inutile…

Mais les deux rossignols sont déjà en fredonnement.

À la fin de la ritournelle, Scooterino me délivre l'explication :

– C'est l'ancienne chanson qui s'appelle *Volare*. Elle veut dire l'amour a donné moi des ailes.

Nom d'un lagopède des saules sur le retour. La chose dégage l'étrangeté. Nonobstant, tel est le Latin romantique.

Rendu en phase *arrivederci*, Scooterino me décoche le bécot dans le combiné, assorti demande de lui retourner la pareille. J'avoue ressentir la légère niaiserie à bécoter le bigo. Note, telle est l'idylle transcontinentale.

Cinq minutes après Nul quidam ne m'avoua
l'amour jusqu'à l'heure de
tout de suite. Libby « m'aibe », c'est le fait, mais la
déclaration de la bambine renferme un je-ne-sais-quoi
de menaçant.

Une minute après Si on va par là, l'expert en
poilade me proclama égale-
ment son penchant. Que dégoisa-t-il au juste en me
repêchant en rivière ? Ah, oui : « C'est pour ça que je
t'aime. »

Note, son affection ne semble plus de mise de nos
jours. En réalité réelle, le gus me fait son Jas. En clair, il
me déploie la chiffonnade.

De toutes les manières, tais-toi, cervelet. Concentre-
toi sur le un tien Sublimo vaut mieux que deux la
Marrade tu l'auras.

Deux minutes après Scooterino sera de retour
chez les Grands-Brittons par
aéroplane le 14. Autrement dégoisé dans deux siècles.

Ce qui n'est pas le cas du 12, le jour de la rentrée au
Stalag 14, en vue d'une nouvelle rasade de torture,
assortie ordure.

Je le dégoisai jadis et le redégoiserai toujours :
qu'est-ce que le point de l'école ? La seule finalité de
l'établissement scolaire qui saute aux mirettes est de
mettre le vioque givré hors d'état de nuire en venelle et
de procurer refuge au haïsseur de filles.

Dix minutes après Je ne suis ni plus ni moins
qu'explosée d'allégresse au
chapitre amuuuuuuuur.

Une minute après Au maxi de l'amouromètre. Je ne pourrais être plus enchantée, si j'étais le hamster sous traitement enchantatoire grimpant à l'échelle.

Une minute après Le seul bourdon dans le consommé est que la moindre converse *mit* Scooterino me procure de la tremblote de rotule, assortie cervelet décérébré. Le gus me propulse en timidité. Par le fait, j'ignore de quoi sézigue est fait. Si on veut bien observer l'affaire au microscope, elle se résume à trois malheureux bécots.

Trois minutes après Je me demande qui je bécotai le plus ?

Il se peut que je sois obligée de reconstituer mon historique bécotal, en attendant que mes soi-disant potesses daignent me passer le coup de bigo. C'est toujours bibi qui s'y colle. Conséquemment, à leurzigue de faire l'effort.

Deux minutes après Dramatiquement, ma prime expérience sexuelle se déroula sous les auspices de l'inceste. Mon cousin me toucha le jambon à l'occasion d'un partage de chambre. Toucher suivi d'une proposition de guili-guili.

Si ça se trouve, j'ai la cicatrice mentale pour le reliquat de mon existence. Nonobstant, je ne me plains pas. *Le riant* de la chose est que je n'ai plus à me le fader, étant octroyé qu'il s'est engagé dans la marine.

Une minute après Le suivant sur la liste est Peter Dyer, plus connu sous le blaze de Peter le Bulot. La Marrade en est toujours comme seize ronds de flan que le Top Gang dans son ensemble se vomit chez le Bulot dans le dessein de se faire administrer le cours de bécot. Tout une chacune faisant gentiment la queue devant sa lourde et le gus minutant la séance au minuteur.

Une minute après Pour citer la Marrade : « C'est ce que j'appelle le boulot de rêve. Enseigner le bécot à la fille. La chose est ni plus ni moins que le syndrome allumage réalisé. »

Revenons à nos poulets.

Vient ensuite Mark Grosse-Bouche.

Une minute après À dégoiser vrai, jusqu'au sus-mentionné, la liste ne me file pas la joyeuseté. Elle est même dépressionnaire, par le fait. Que me prit-il au juste de bécoter le surdéveloppé du groin ?

Quand je pense qu'à l'heure de maintenant, lui accorder le zieutage me défrise total. Comment ai-je pu entrer en contact labial *mit* sézigue ? Pas impossible que je fus hypnotisée par la taille de son appendice buccal et que j'en tombai paralysée.

De toutes les façons, me remémorer l'épisode me file le bourdon de première abeille. Conséquemment, poursuivons prestement.

Est-ce Super-Canon qui occupe la tierce position ? Ou bécotai-je la Marrade par le truchement de l'inadvertance en premier ?

Le négatif, à mon avis perso, ce fut Super-Canon, si on considère qu'il me déclara trop jeune pour sézigue et qu'en conséquence, j'utilisai la Marrade comme chèvre dans le dessein de le piquer à la jalousie.

La surprise du chef fut que l'expert en poilade se révéla pas manchot du bécot.

Je dégoiserais même plus, il est *sehr* excellent.

Faisant usage du mordillon de lèvres à forte teneur en miam. Mais, bref…

S'ensuit Super-Canon sans conteste possible.

Aaaaaaaaaah, Robbie. Mon prime amuuuuuuur. Il est étrange de constater que le gus qui jadis vous tint à battant plus que tout au monde vire un jour quidam comme un autre. Je ne dégoise pas non plus que je n'ai cure de sa personne. C'est juste que… Oh, je ne sais pas. J'espère qu'il a remisé le tourneboulement. Il semblait à sept didis de me déblatérer le trucmuche l'autre jour au foot, avant que Miss Tête de Pieuvre l'envoie lui quérir le soda et ainsi de suite. *Und* ne me menace de torture au Stalag 14.

N'y cogitons plus. Continuons de lister.

Nom d'une marouette ponctuée en ligne de mire. Je crains que ce ne soit à nouveau le tour de mon conseiller allumage, m'entraînant vers le syndrome allumage général. Vilain, vilain Dave la Marrade…

Puis rebelote au chapitre Super-Canon.

Puis rebelote la Marrade.

Puis Scooterino.

Puis rebelote la Marrade.

Il semblerait qu'une tendance se dessine. Hmmmmmmmmm.

Une minute après Comme de bien esgourdé, je n'ai pas compté le bécot de bête, à l'instar de l'intrusion de langue d'Angus en bouche de mézigue par le truchement de l'inadvertance.

Ni l'agissement de bambine renfermant le bizarre, tel le bécot d'esgourde de Libby. Idem pour le bécot de rotule.

Cinq minutes après Coup de grelot de Jas. Pas trop tôt. Je lui déploie le froid de premier givre, mais la potesse ne sent pas le vent du frimas, trop obnubilée par son projet de se rendre à ce point fascinante aux mirettes de Craquos qu'il fasse l'impasse sur son projet de fac séparée.

Moi en mode grognonne :

– Si j'étais tézigue, j'embraierais sur la glaciosité pas plus tard que tout de suite. Il est de ton devoir d'éviter Tom d'une paluche de cuivre sur-le-pré.

– Très juste.

Hmmm. Bien, ça lui fera les arpions. On verra si elle apprécie de se retrouver non gussée.

Dix minutes après Je suis de vigie au rayon félidé pour cause de tentative d'évasion de panier. Obligée de saucissonner Angus en couvrante en vue de l'empêcher de procéder au bond *und* de s'abîmer le point de suture *und* ainsi de suite. Devant son entêtement, je lui passe la laisse que je ficelle au panier.

Il est vert de rage.

Nonobstant, Super-Matou n'est pas encore très solide sur ses guiboles, conséquemment il pousse le miaulement à forte concentration en miaou, mais finit par choir dans les abattis de Morphée.

En partance pour mon paddock, exténuée par ma journée de soin, j'apostrophe Mutti de la sorte :

– Tu devrais tenter le soin, Mutti. C'est *sehr sehr* épuisogène.

Debout sur les coups de 10 h 30 Angus récupère la vigueur *und* siphonnitude à tire-d'aile. Le félidé abomine le séjour en panier. Et je vous ferais dégoiser qu'il a boulotté sa laisse. En obligation de me procurer le modèle en acier nickelé. Ce chat n'est ni plus ni moins que l'Arnold Schwarzenegger de Matouland.

Vingt minutes après Je suis en saturation de jérémiade *und* miaulement *und* hululement réunis. Une supposition que je sorte Super-Matou en extérieur, une éventualité qu'il baisse d'un ton. Sans compter qu'il déchiqueta la telle superficie de panier que celui-ci se réduit au tas de brindilles.

11 h 00 Visite de Jas en vue de me délivrer le compte rendu de ses progrès en matière d'attrapage de garçon au chapitre Craquos.

Je me prépare à pardonner à sézigue, mais uniquement dans le dessein de passer le temps.

Moi :

– Total, que lui dégoisas-tu la dernière fois que tu le zieutas ?

Jasounette après tripotage de frange :

– Je lui décochai le « À plus ».

– Bien joué la taupe, *le excellent*, chou *und* vague dans le même temps. Le « À plus » lui octroie le temps de s'interroger sur la nature de tes agissements *und* ainsi de suite. Quand le vis-tu pour la dernière fois ?

La potesse se replonge illico en tripotage de frange.

– Euh… Attends que je réfléchisse… euh… Il y a une demi-heure.

– Une demi-heure ! Je crains que tu ne percutes pas l'essence de la chose, Jasounette, je me goure ou je me goure ? Je te rappelle que tu lui octroies l'espace dans le dessein de le faire revenir vers tézigue, tel l'élastique. Or, être *mit* sézigue la demi-heure passée n'est pas lui octroyer l'espace, mais le voir à tout bout de pré.

– J'adore le voir.

– Il se peut, mais ne constitue pas la clef de l'ensor-cellement.

– Quelle est-elle ?

– Tu dois afficher le mystère, coordonné non-disponibilité *und* te préparer au combat *und* déployer la glaciosité *und* ainsi de suite. L'obligation est de rendre Craquos jaloux.

– *Warum ?*

– La jalousie est *sehr* excellente dans le processus d'ensorcellement.

– Mais comment le rendre jaloux ? Je lui annonce que j'ai trouvé le mollusque inhabituel et refuse de le lui montrer ?

– *Le négatif*, Jasounette. Je ne te blablate pas nature, mais jeu de l'amuuuuuuur. Il te faut marivauder *mit* autre gus.

– Que me fredonnes-tu ?

– Je te fredonne qu'il te faut marivauder *mit* autre gus.

– Parfait en ce qui te concerne, Georgia, vu ta tendance à exhiber ton rosissement popotal de-ci *und* de-là, mais la chose est contre ma nature.

Oh, la fille est décidément trooooooooooooooooop irritante.

Cent ans plus tard, elle finit par accepter de s'entraî-ner au marivaudage *mit* autre gus, afin de prendre Craquos à son propre jeu.

Jasounette :

– Pigé, je commence pas plus tard que tout de suite. J'amorce la glaciosité. Je te montre mézigue en non-disponibilité.

Sur ces moches paroles, elle relève le blair et tripote sa frange.

– *Le négatif*, Jasounette. Tu me montres tézigue faisant la niaise chez moi où Tom ne peut pas te voir. Tu dois recourir à l'agissement visible par sézigue.

La potesse entre en cogitation.

– Repigé, je vais lui passer le coup de bigo en vue de lui signifier mon total accord sur notre besoin de plus d'espace commun *und* plus d'espace perso en ce qui me concerne, étant octroyé qu'il a été mon seul et unique. Et je lui dégoiserai que je le zieuterai quand j'aurai une minute à perdre.

– Bien, voilà, ma grande.

La potesse se trisse grelotter à son Craquos et j'en profite pour farfouiller dans le garage à la recherche d'un trucmuche à usage de transport de chat. J'espère ne pas subir l'attaque de mouches maousses. D'habitude, quand Vati revient de pêche, il oublie l'asticot en cambuse d'asticot et le ver vire mouche surdimensionnée. Jeter de mirette. Aucun vrombissement suspect. Dans quoi au juste véhiculer le félidé ? Ah ! La vieille poussette de Libby ! Parfait.

Quatre minutes après Retour de Jasounette arborant le léger fard. En tentative de démêlement de lanières, je remarque que la potesse se tripote la frange telle la femme atteinte de démence.

Jas :

– Ben, c'est fait. Je lui ai lâché le morceau. Je lui ai blablaté que je prenais la portion d'espace et qu'il ferait bien d'en faire autant. Et il m'a répondu d'accord. Ce qui dégage l'étrangeté. À ton avis perso, que signifie d'accord ?

– À mon avis perso, d'accord signifie d'accord. Je me demande où est passé le trucmuche qui rentre dans la boucle.

– De toutes les manières, quel que soit le sens, vivement un chouia de liberté afin de tester mes compétences en attrapage de garçons et ainsi de suite. Comment se déambule la déambulation ensorceleuse, déjà ?

Je lui fais une démo de hanche, hanche, balance, balance, hanche, hanche. Agrémentée de la lichette de secousse de perruque.

Deux minutes après Jas se sort du hanche, hanche, balance, balance, les didis dans le pif, mais se mange brutalement le mur en incorporation de secousse de perruque dans le mouvement.

Dix minutes après Transvasement de Super-Matou en allée de garage par l'intercession de la bassine à vaisselle. La tentative de lever de panier s'étant soldée par l'échec, pour cause de chute de fond. Je ne vous raconte pas le hululement du félidé opérant la rencontre brutale *mit* le sol.

Je précise que Jasounette *und* mézigue portons le gant de jardin. J'adorerais pouvoir dégoiser qu'Angus est méga jouasse à l'idée de sa sortie en extérieur et qu'à sa façon félidée, il apprécie ce que nozigue faisons pour sézigue, mais le crachat de chat, conjugué popo, sous-esgourde le contraire.

Mézigue en poussement de Super-Matou au bout de l'allée de garage :

– Il convient de déployer la cruauté quand on vise l'affabilité. Certains trucmuches de l'existence regorgent de saumâtre, nonobstant ils doivent être faits.

Exemple, le germain *und* maths. *Und* l'école, par le fait. Je n'en crois pas mes nougats de la vélocité avec laquelle les vacances ont passé et de la promptitude du retour forcé en chambre de torture de la vie.

Jas :

– Perso, je suis plutôt impatiente. Cette année, on fait *Roméo et Juliette* en grand-britton. Je me demande si j'obtiendrai le rôle, à l'instar de celui que j'obtins pour la pièce de l'an passé. J'ai comme l'impression d'avoir endossé le personnage de Lady MacBeth pour de vrai. Le rôle a beaucoup requis de ma personne.

– De ma personne itou.

Mais la potesse ne percute pas pour cause de départ précipité à Jasland. Est-il vraisemblable qu'elle soit choisie pour jouer Juliette ? Car je vous fiche mon biffeton qu'elle en est persuadée. Qui sur cette planète a entendu parler d'une Juliette *mit* frange tripotée *und* fixette sur la chouette ? Billy Shakespeare n'a jamais griffonné : « *Pâle fang bleu, quelle chouette jaillit par cette fenêtre ?* »

Cinq minutes après Angus est gentiment ficelé en poussette, la couvrante en couverture et le couple de saucisses sous le dessous de pattes, à portée de canine.

En passage de portillon de jardin, j'opère le croisement *mit* les Porte-à-Côté de retour de promenade des Frères Dugenou. Je signale en passant qu'ils affichent un taux inhabituel d'inhabituel, vu leur collier rose assorti. Les canidés à bouclettes n'ont couic à leur envier au chapitre ridicule ! Hahahahaha ! Vous avez percuté ce que je fis ? Laissez choir.

Le Père Porte-à-Côté considérant la poussette farcie au félidé :

– Alors, il n'est pas mort ?

Je vous ferais dire que la question ne renferme pas l'amabilité.

Naomi nous emboîte la patte, en poussant le miaou strident du félidé persan atteint de givre certifié. Mais voilà qu'en bout de venelle, elle croise le zieutage de Mastard Ier en train de rôder en vicinalité de poubelles. Je ne vous raconte pas la crise d'Angus avisant son rival. Super-Matou se met illico en devoir de boulotter les lanières de la poussette en vue d'une libération anticipée. J'accélère le pas à la vitesse de la lumière. Naomi n'est ni plus ni moins que la gourgandine exécrable. À l'heure de tout de suite, elle se tortille sur l'échine en milieu de venelle, exhibant son anatomie à qui veut bien l'entendre.

Plus révoltant, tu décèdes.

Mézigue à Jasounette :

– Voile les mirettes d'Angus de ta paluche.

– Euh, *le négatif*, je ne suis pas démente et ne souhaite pas me la faire arracher.

Trop épouvantable. Pauvre Angus diminué, exposé à la vision de sa fiancée se proposant au premier félidé venu.

Je passe aussi sec la cinquième, mais suis très vite obligée de rétrograder en première, risquant le rebond incontrôlable de nunga-nunga, pour cause de non-port de soutif à triple maintien.

Quatre minutes après En cheminement vers le parc. La journée affiche *l'ensoleillé*. Subséquemment, j'enfile le bob à Angus, redoutant le coup d'astre solaire en zone dépilée, pour cause de point de suture. De mon point de vue perso, je trouve que le couvre-chef lui confère l'air chou, mais sézigue est en profond désaccord, qu'il manifeste par la méchante baffe administrée de la patte grand format.

Mit le corps sous couvrante *und* bob sur faciès, nul ne peut certifier qu'il s'agit du félidé.

Moi :

– Ce serait la marrade si la population le prenait vraiment pour le poupon. Imagine qu'elle se penche sur sézigue pour le « areu ! areu ! » et avise sa tronche velue. La chose serait hautement poilogène.

Jas :

– *Le positif*, super.

Mais le commentaire est délivré sans conviction, car la copine est concentrée à décès sur son balance, balance, hanche, hanche, secousse de perruque, prise de gadin, etc.

Au bout du compte, Super-Matou fait le tel boucan et le bonnet subit le tel écroulement que je lui retire le couvre-chef, le proposant dans le même temps à Miss Frangette afin de se caler la frange dessous, mais elle décline. La fille n'est ni plus ni moins que la rabat-allégresse.

Bibi :

– Je mettrais ma paluche aux tenailles que le corps enseignant trépasse d'envie de réintégrer le Stalag 14, en raison d'une absence de vie notoire. À tous les ramponneaux, la Mère Fil-de-Fer a déjà sorti le couvre-fesses idoine et Œil-de-Lynx révise sa vocifération.

– Au fait, j'ai un trucmuche à te dégoiser. Craquos m'a rapporté le ragot concernant Super-Canon et la Nouillasse.

– Jas, je t'avais adjurée de ne pas laisser traîner l'esgourde au chapitre Guiboles de Phasme.

– Je n'ai rien laissé traîner. Tom a mis le sujet sur le tapis. Point et virgule. À ce qu'il paraît, la Nouillasse se pointe sans arrêt chez les parents de Tom. Même en l'absence des garçons. Plus pathétique, tu meurs. Et tout ce beau monde s'entend à merveille. Conséquemment, Tom a demandé à Robbie ce qui se tramait. La Nouillasse était-elle sa fiancée officielle, etc. ? Et Super-Canon a répondu, je cite : « Ben, c'est sympa d'avoir la fille ordinaire qui m'aime dans les parages. » Et il a ajouté qu'elle lui confectionnait le gâteau.

Moi en décochement d'œillade à Miss Frangette :

– Quelle sorte de fille confectionne le gâteau au gus ?

– Ben, perso, je confectionnai le cake au citron à Tom lors de notre expédition camping et…

– Je crains que tu n'aies pas percuté. Quelle sorte de demeurée pur jus, à part tézigue, confectionne le gâteau au gus ? La chose exhale le pathétique, coordonné étrange, à plein pif. Tu ne trouveras pas le mot concernant la confection du gâteau dans *Comment séduire à coup sûr le dernier des caves* et je te ferais dégoiser que l'ouvrage renferme moult trucmuches truffés au bizarre.

Comme de juste et pour une raison inconnue, Jas percute le numéro sept sur l'échelle de la chiffonnade (le numéro sept étant, bien esgourdé, prendre de l'avance sur le peloton, une des spécialités jasiennes).

Moi :

– Jasounette, ne sois pas ridicule. Je parie que Tom a adoooooooré ton cake au citron. Reconnais simplement que de la part de la Nouillasse, le gâteau penche dramatiquement vers l'incongru. Guiboles de Phasme n'est pas exactement la domestique, je me goure ou je me goure, et n'est pas du genre à faire le trucmuche pour autrui, n'est-ce pas ? N'est-ce pas, ma petite potesse en sucre ? Je mettrais ma tête au chalumeau que même ton Craquos émit la remarque en ce sens.

Miss Frangette ne veut pas abonder, nonobstant elle ne peut s'en empêcher.

Jas :

– Ben, en fait, Tom la trouve fausse et pense qu'elle essaie d'embobiner Robbie par l'entremise de la gentillesse.

Hmmmmmmmm. La révélation me plonge en culpabilité vis-à-vis de Super-Canon. Une supposition qu'il soit victime de la déception amoureuse en raison du rejet ferme et définitif de sézigue par mézigue, une certitude que je suis en quelque sorte responsable de sa remise de couvert avec Tête de Pieuvre Ière. Comme si ça n'était pas suffisant de l'avoir zieuté chouiner devant ma personne, le savoir attiré en Non-Frontland penche franco vers l'abominable. Je ne souhaite pas le voir fréquenter la Nouillasse à cause de moi. Si ça se trouve, je vais me trouver en obligation de le sauver des griffes de Guiboles de Phasme.

Douze minutes après Déambulation en parc au son de *Le soleil brille, brille, brille* à farcis poumons afin de remonter la jauge à bonne humeur d'Angus (j'aime à croire que le félidé nous accompagne du miaou en refrain), quand débouchent de derrière le service pipi et Cie Dave la Marrade *und* Emma *und* Tom *und* potesse d'Emma, répondant au blaze de Nancy, le tout en hilarité.

La Marrade nous avisant rapplique sur zone et se penche sur Angus.

– Ben dis donc, mon cochon ! Ça, c'est du costaud ou je ne m'y connais pas ! Champion !

La remarque de l'expert en poilade truffée à l'admiration m'octroie la fierté à l'endroit d'Angus. Je vous ferais blablater que le félidé est revenu d'entre les défunts et du paradis des chats par le fait, tel Super-Matou. Sans compter que la rencontre *mit* la Marrade exhale *le extra*. L'expert est plutôt crousti en chemise stylée, d'autant qu'il me balance le clin de mirette. Mais il gâche l'instant en apostrophant Emma de la sorte :

– Emma, viens jeter le coup de mirette à Angus, c'est le minou dont je t'ai dégoisé.

Emma en propulsion sur zone à la mode cruche :

– Ooooooooooh, qu'il est mignon.

J'aurais dû la prévenir de ne pas s'approcher si près d'Angus, mais qu'est-ce que j'y peux, c'est la loi de la nature *und* que du crachat de chat, par le fait. Sauf qu'à l'esgourder criailler, on croirait de la toxine de vipère. Je ne vous raconte pas comment la fille se carapate au service pipi et Cie, suivie de Nancy.

Jas n'a pas pipé le mot depuis qu'elle a zieuté Craquos, se contentant d'arborer le fard de toute première rubéfaction, c'est blablater le rouge de la potesse.

Tom :

– Je suis tombé par hasard sur Dave et les filles au billard…

Miss Frangette :

– Ce que tu traficotes relève de tes oignons, Tom. Viens, Gee, on ne peut pas faire attendre le Top Gang.

Et elle ajoute pour de réel à Craquos :

– À plus. Je te passerai peut-être le coup de grelot un de ces jours.

Aurait-elle fini par disjoncter ?

Je lui emboîte le pas *und* la poussette, laissant les gus en zieutage de nozigue.

Passé le coin de venelle, Jasounette éclate en chouinade.

– Comment peut-il sortir avec une autre fille, comme ça ? Je lui ai accordé la liberté il y a une demi-heure.

Mézigue :

– Ben, dans *Comment séduire à coup sûr le dernier des caves*, il est dégoisé comme ça que le gus n'aime pas se sentir mal. Conséquemment, il prend la copine de rechange aussi sec.

– C'est atroce. Dans ce cas, *qu'est-ce que le point* de sortir avec un gus ou même de s'en soucier ?

– Nonobstant, l'horizon se débouche à l'horizon.

– *Le quoi ?*

– Ben, le gus prend effectivement la copine de rechange, mais à ce qu'il paraît, le désastre s'ensuit et icelui demeure gelé au chapitre émotion pour le reliquat de son existence. Subséquemment, c'est de l'horizon qui se débouche, non ?

Mais la copine ne retrouve pas la risette à proprement blablater.

Samedi 3 septembre

9 h 00 Coup de grelot de Jas.

– Tom s'est pointé pour me débiter qu'il n'y avait couic entre sézigue et Nancy. Il est tombé sur leurzigue, point et virgule. Les gus ont disputé la partie de baballe au parc pendant que les filles les regardaient. Et, de toutes les manières, Nancy a le fiancé officiel. C'est comme qui dirait la meilleure potesse d'Emma.

Bibi :

– Que lui dégoisas-tu ?

– Ben, je me suis rappelé la glaciosité *und* ainsi de suite. Alors je lui ai dit ceci : « Je suppute que, en situation de plus d'espace, on n'est pas censé demander ce que fait l'autre, mais on peut se montrer amical. »

Moi, plus ébahie que l'ébahissement :

– Jasounette, ma petite potesse en sucre, la tactique est *sehr le extra*. Tu ne te contentes pas de déployer la seule glaciosité, tu lui adjoins accessoirement la maturosité. *Muchos buenos*, comme diraient nos amis transalpins.

Sauf que la fille gâche le tout par ce qui suit :

– Nonobstant, il me manque.

– Retourne câliner la chouette et fais montre du courage.

– J'ai le droit de le bécoter quand il passe me voir ?

– *Le négatif*, Jasounette. Craquos doit d'abord prendre le large, puis revenir, tel l'élastique. On ne commence jamais par l'élastique. Couic de tel n'est prescrit dans le bouquin.

Mardi 6 septembre

Plus que six jours avant le Stalag 14. Que Notre Seigneur nous file le coup de paluche. Côté bonus, le Sublimo est de retour dans huit jours ! Je ne lève pas le nougat au rayon bichonnage, mâtiné désherbage de ma personne, afin de ne pas me fader l'entretien du bâtiment d'un seul coup et me montre impitoyable *mit* la pilosité esseulée. Je signale qu'aucune pustulette en germination n'est à déplorer. Si seulement je trouvais de l'autobronzant en vue d'éradiquer la pâleur jambale, mais non de lui conférer l'orange, comme la dernière fois. De toutes les manières, je m'en bats vaguement la mirette avec une patte de grillon, étant octroyé que la rentrée au Stalag 14 sonne également celle du collant.

16 h 00 Angus tente le retour à la marche pour la première fois le jour d'hui. Pour ce faire, je le dépose en sommet de muret, afin de lui offrir la vue plongeante sur les Frères Dugenou. D'ordinaire, les canidés à bouclettes lui procurent la joie de vivre et ainsi de suite. Le félidé a toujours la queue pansée, mais le point de suture lui est retiré la semaine prochaine. Et je précise que la bestiole boulotte *en le grand* quantité.

Je dégoisais donc que je le dépose en muret, mais il est encore très mou de la rotule. Angus fait le couple de pas hésitants, qui se solde par le cassage de binette brutal dans le jardin des Porte-à-Côté. J'enfourche illico le muret afin de constater les dégâts. Angus gît en carré de choux. Il me décoche le miaou silencieux spécial félidé et se remet sur les coussinets, amorce la déambulation et finit caboche la première dans le buisson. Rebelote au rayon relever, qui se termine par la collision *mit* la tondeuse à gazon. Oh, nooooooooooooooon, si ça se trouve, il a le cervelet calciné.

Je bondis tel le saumon en jardin voisin pour secourir mon poteau velu. Les Porte-à-Côté sont de sortie, la voie est libre, si ce ne sont les canidés de garde résolument permanentés, j'ai nommé Blanchinet et Ouatiné. Les deux sont attachés à la niche, sans doute pour les empêcher de faire les Jacques *und* de se salir la pilosité ridicule. Et ils jappent tel l'hyperactif.

Mézigue *mit* accent de Liverpool :

– Du calme, les demeurés !

Je ramasse Angus, mais il aime moyen être pris en abattis et se débat tel le damné. Pour lui faire plaisir, je le positionne en proximité des Frères Dugenou à qui il décoche la baffe grand format en zone truffale.

J'opère la sortie de chez les Porte-à-Côté par le biais du portillon, car je doute être en mesure de conjuguer saut de mur *und* chat dément.

Oooooooooooooh, je Vous en supplie, plie, faites qu'il ne soit pas le félidé attardé. Je ne souhaite pas le manœuvrer en chaise roulante spéciale chat le reliquat de son existence.

Compte vomi des dernières *news* à Mutti qui préconise le coup de grelot au véto, docteur Barbiton.

Et une supposition que Barbiton déclare Angus chat-légume ? M'occuperai-je de sézigue même s'il ne percute plus couic et ignore comment conduire la rixe ? *Und* se met à apprécier la compagnie des Frères Dugenou ?

Cinq minutes après *Le positif,* telle est la réponse. Je l'affectionne et veillerai sur sézigue quoi qu'il advienne. Angus est mon poteau velu, mâtiné frangin.

Mercredi 7 septembre

Contre toute attente, Vati déploie la compassion à l'éventualité qu'Angus tourne félidé demeuré et me propose la conduite en auto chez le véto en retour de travail.

Chez le véto

17 h 30 En écoutant mézigue lui narrer les prises de gadin de Super-Matou *und* mes craintes de le voir atteint du déficit cérébral, l'homme de l'art prend l'air grave, mâtiné barbu. S'ensuit une auscultation de l'esgourde et de la mirette du félidé. Elle-même talonnée par une pose de l'animal sur table en vue de lui faire exécuter quelques pas. Angus amorce la déambulation, mais se vautre aussi sec sur le linoléum. Puis tente le sauter de retour, mais rate la table et atterrit sans train d'atterrissage sur mes rotules, dont il choit aussi sec.

La chose est *sehr* triste. Quand je pense qu'il n'était ni plus ni moins que le roi du bond, conjugué équilibre. Son chevauchement des Frères Dugenou tels les mini-équidés sont derrière sézigue. J'ai comme qui dirait la chouinade qui menace.

Docteur Barbiton :

– Le problème vient de sa queue. Tant qu'elle sera bandée, Angus ne pourra recouvrer l'équilibre. Tout sera réglé sitôt son bandage retiré.

Qu'Allah soit loué !

(Euh, je vous décoche le pardon, petit Jésus. J'ignore total comment j'ai tourné sporadiquement musulmane, mais je Vous ferais dégoiser qu'on est tous dans le même bateau cosmique. Il ne fait pas l'ombre d'un doute que j'ai une préférence pour le petit Jésus, nonobstant je suis fan de toute la bande. Au cas où l'un de ces messieurs serait également omnipotent, tel Notre Seigneur.)

De retour en cambuse

Angus se mange la chatière de plein fouet en tentative de la passer. Oh, l'allégresse me ronge. Je m'en ouvre à Jasounette au bigo.

Jas :

– Ah, ho, ho-ahoh.

Je remarque que la remarque ne renferme pas le quota d'attention et d'écoute escompté.

Sur ces entre-fêtes, la potesse ajoute ce que voici :

– Je me demande comment tu t'en sors sans gus de compagnie. À qui racontes-tu tes trucmuches ?

Mézigue :

– À mes petites potesses, telle toi. De toutes les façons, puis-je t'arrêter avant que tu n'enclenches la jérémiade tous azimuts ? Je compte grelotter le Top

Gang en vue d'une célébration conjointe de la guérison d'Angus *und* réinvention de la bête à gants ! ! !

– Oh, *le négatif.*

– Oh, *le positif.*

– Oh, *le négatif.*

– Oh, *le positif.*

– Oh, *le négatif.*

– Jas, la converse *mit* tézigue renferme la poilade et ainsi de suite, mais je te signale que tu as rendez-vous chez mézigue dans la demi-heure. Conséquemment, tu ferais mieux d'accélérer le mouvement. Salut.

En cambuse de bibi

Distribution de café, conjugué roulé à la confiture, à toute une chacune, car la cantonade est en besoin de sustentation pour embrayer sur un nouveau trimestre au Stalag 14.

Deux heures après J'ai la côte douloureuse pour cause de débauche d'hilaritude. J'avais oublié le pouvoir hilarogène du béret, accompagné de la paire de gants. Je rentre en pic de poilade *mit* Rosie imitant l'inspecteur Bête à Gants du Yard. Pour ce faire, la copine enfile le béret auquel elle épingle le gant en guise d'esgourde *und* se branche la pilosité faciale *und* se met en devoir de tirer sur sa pipe.

La chose est *sehr sehr le riant.*

Moi :

– À mon avis perso, la Mère Œil-de-Lynx appréciera la créativité ajoutée que nous apportons à ce qui serait autrement le béret tartant.

Jas :

– Elle n'appréciera pas et on se prendra l'heure de colle d'entrée.

Moi, la pilosité sourcilière haussée :

– Jasounette, j'ose espérer que tu ne brigues pas la place de la pissote-froid.

Jas en mode en boucle :

– C'est trop ridicule.

Roro à Miss Frangette en retrait de pipe :

– Jas, sous-esgourderais-tu que je suis ridicule ?

Je ne vous raconte pas la marrade.

Dans le but de libérer notre vivacité de fille, la cantonade entonne la gigue au son du décibel à gogo, avant de s'effondrer sur mon paddock, privée de l'haleine.

Ellen remet le couvert au chapitre rencard officiel *mit* Declan et Rollo a offert à Jools sa crécelle perso afin d'incarner sa supporter perso pendant les parties de baballe. À mon avis, la copine ne se tient plus de joie secrète, bien qu'à ses dires, elle aurait préféré le morceau de chocolat ou le gloss.

Dimanche 11 septembre

En paddock

23 h 30 Ma chambre est délibbytée. Demain, j'ai Stalag 14 au menu et souhaite arborer la forme de rêve en vue d'affronter les jeunesses hitlériennes (surveillantes), la fasciste de base (le corps enseignant), l'homosexualitste (la Mère Stamp) ainsi que l'assortiment de siphonnés (Herr Kamyer, Elvis, la Mère Wilson, Fil-de-Fer, notre bien-aimée dirlo surdimensionnée *und* tout un chacun, par le fait).

PÂLE FANG BLEU, QUELLE EST CETTE CHOUETTE QUI SURGIT À LA FENÊTRE?

7 h 00 Oh, je n'en crois pas mes coudes que la fin des vacances a sonné *und* que le retour des heures sombres de l'ennui de première tarte est de mise *und*... c'est tout. De l'autre genou, plus que deux jours avant la réapparition de Scooterino. Youpiiiiiiiii !

En salle de bains

7 h 25 Je suis en lisière de me lessiver le faciès à l'aide de mon savon spécial lessivage de faciès quand je réalise que le susdit s'est fait la valise. Quelqu'un peut me dire comment procéder à la phase nettoyage *und* tonification *und* etc. si tout un chacun s'ingénie à me déplacer le savon ?

Intrusion de bibi en cuisine et en vue d'interroger la mère de famille :

– Ôte-moi d'un doute, Mutti, aurais-tu fait usage de mon savon perso spécial mézigue, qui n'appartient qu'à mézigue perso ?

Icelle sans même opérer le retournement :

– Non.

Je décoche l'œillade aux matous père et fils résidant en même panier et note que la gent matou a la babine moussue.

7 h 40 *Warum* le chat boulotte-t-il le savon ? Je pose la question : *warum ?*

8 h 50 Montée de la montée vers l'enfer sur terre au pas du gastéropode.

Miss Frangette me narre qu'elle a fait l'impasse sur le coup de biniou à son Craquos, alors qu'icelui le lui a passé en double exemplaire. À chaque grelottement, la potesse a fait celle qui n'était pas en cambuse.

Mézigue dans le but de vérifier ses dires :

– Euh, Jasounette, tu as le mode d'emploi de la prétendue non-présence en cambuse ? Rassure-moi, tu n'as pas décroché le bigo en blablatant : « Je suis aux abonnés absents » ?

Pour toute réponse la fille me décoche le coup de sac à dos en caboche, ce qui exhale la violence aggravée à plein pif. Nonobstant, peu me chaut, puisque je l'affectionne.

La bête à gants n'est pas inscrite au programme du jour. Le Top Gang garde par-devers lui l'effet de surprise. À tous les coups, Œil-de-Lynx et les jeunesses hitlériennes sont en alerte maxi. Farcies à l'énergie par l'entremise de la pause estivale, fin prêtes pour la brutalité de masse, conjuguée haine de la fille. Conséquemment, le Top Gang a décidé de les rouler dans la farine par le sentiment de sécurité factice et par l'intercession de la bonne conduite toute la semaine. Et de leur assener le coup du couvre-chef la semaine consécutive.

8 h 38 Le régime fasciste bat déjà son plein. La Mère Œil-de-Lynx est de garde à la grille du Stalag 14, tel le canidé du même blaze, le mètre mesureur à la paluche ! Honnêtement ! La femme vérifie que la jupe du corps apprenant dépasse bien d'un centimètre la rotule. Toute une chacune prise en flagrant délit de retournement de jupe à la taille se voit décerner le blâme d'entrée. Pas impossible que je rédige la bafouille de réclamation à mon député d'arrondissement ou au roi d'Europe ou est-ce que je sais.

Avantageusement, je suis en connaissance qu'Œil-de-Lynx me cherchera la noise (étant octroyé qu'elle a le muscle de l'aversion de ma personne qui lui a spécialement poussé). Or donc par le fait, je me couvre la rotule dès les barbelés du Stalag 14 en vue.

Melanie Griffiths, connue de par le vaste monde pour son nunga-nunga taille maousse, me devance d'une courte caboche et se fait choper par Œil-de-Lynx. Note, la fille porte la vêture en rase limite de popotin.

Nazie Ière en spasme de nerfs :

– Melanie. Ceci m'étonne de vous, franchement. De toute façon, vu votre corpulence, vous feriez mieux d'opter pour le long.

Moi à Jasounette :

– À mon avis perso, Melanie n'a pas roulé la jupe. Elle est victime de la croissance d'arrière-train, qui généra la remontée d'ourlet.

En traînement de nougat et en direction des vestiaires, j'adresse la ci-devant harangue au Top Gang :

– Je mettrais ma paluche au coupe-papier que la mesureuse de jupe n'a pas cours au Pays-de-la-Mozzarella-et-Tomates-à-la. Si ça se trouve la fille ne porte même pas la susdite pour se dégobiller au bahut, vu son taux de libéralité. À tous les ramponneaux, elle vêt le string de fourrure ou le minishort en similicuir.

Par le fait, j'espère que nenni. Scooterino serait susceptible de goûter la chose. Oooooooooooooh, je décède d'impatience de le rezieuter.

Rassemblement

Le bonjour, monde merveilleux fourré à l'ennui épais *und* popo. Lindsay la Nouillasse, secondée par sa seconde, Monica la Trop Consternante, rôdent de-ci *und* de-là, de garde au rayon surveillance. Les deux immondes sont les ferventes adeptes de la terreur de petites sixième qu'elles accusent de mauvais laçage de croquenots et ainsi de suite.

Guiboles de Phasme me décoche le zieutage, suivi du trucmuche blablaté à la Consternante, qui provoque leur départ en hilaritude conjoint. Toutefois, je m'en bat la mirette avec une patte d'aoûtat, car je possède le Sublimo transalpin en guise de gus de compagnie ainsi que le front, ce qui affiche un taux d'importance plus important encore.

Je suis en passage de lourde de préau, en vue d'esgourder Fil-de-Fer, notre révérée dirlo, nous raser plus fort que le rasoir, quand les deux choupettes se pointent sur zone par le biais du coup de vent. Je n'ai pas revu les bambines, plus connues sous le blaze de fanclub de la Marrade, depuis le dernier concert des Stiff Dylans. La paire affiche la rubéfaction, mâtinée enthousiasme.

La (frugalement) moins microscopique des deux à ma personne :

– *Le bonjour…* mademoiselle. On a le croquenot nouveau. On vous le montrera plus tard. On a aperçu Dave la Marrade au centre commercial et on l'a suivi à la pharmacie. Il a acheté du lait hydratant ou je ne sais quoi et on lui a demandé un autographe. Il a apposé son parafe sur mon livre de maths, additionné de trois poutou et d'un dessin de singe.

La Nouillasse en mode vociférateoire :

– Vous, les petites, dépêchez-vous de rejoindre votre classe et cessez de bavarder. Et toi, Nicolson, tu récoltes un blâme pour encourager les plus jeunes à ne pas respecter le règlement de l'établissement.

De quoi ? De quoi ? C'est mézigue qui me chope le blâme pour être plus en rang que le rang, alors que deux givrées de petit format viennent me blablater de leur nouveau croquenot. Vous dégoisez d'une justice !

Notre Seigneur, je la hais de haine haineuse. Par le fait, elle me force ni plus ni moins à décider de mettre un terme à son idylle *mit* Super-Canon. Il en va de mon devoir civique. Par ailleurs, une supposition que je puisse lui plier sa guibole de phasme par le truchement de l'inadvertance faite exprès, une certitude que je bondis sur l'occasion, tel le saumon.

Moi en prise de place en préau à Jasounette, du coin de la babine :

– Je la hais. La fille est plus trépassée que le trépassé sous traitement trépassant. De l'autre genou, il semble-rait que la Marrade ait fait l'acquisition de la paire de pisteuses perso, je me goure ou je me goure ?

Un quart d'heure après Roro met à profit la prière pour me déclen-cher l'hilarité de grande envergure par le biais du coup de coude en côte. Je tourne caboche vers sézigue pour découvrir que la potesse a chaussé la paire de bésicles, dénuée du verre mais garnie du faux tarin *und* pilosité sourcilière de type buissonneuse. Je ne vous raconte pas la poilade. Pas regardante, Rosie fait profiter l'en-

189

semble du Top Gang de la chose et les potesses sont alors victimes de la désopilation, virant secousse d'épaules convulsive. Je retrouve contenance pour l'*amen* de clôture.

La Nouillasse nous darde le regard, mais ne peut profiter du spectacle sourcilier dans son ensemble. *Le mieux*, sinon toute une chacune est bonne pour la colle. Ah, les beaux jours !

Griotte sur le baba, l'hymne du jour nous procure l'opportunité d'user de notre « culotte ». Démo : « Je T'attends Seigneur afin que Ta culotte me protège de la pluie », l'accent étant mis à farcis poumons sur « culotte », comme de bien esgourdé.

Quatre minutes après Non mais vous croyez que Fil-de-Fer activerait ?

La dirlo :

– Bla, bla, bla, population extérieure prétend que l'élève a l'allure de la gourgandine avec sa jupe courte *und* maquillage, etc. Toute une chacune sera pendue *und* noyée *und* dépecée si elle ne respecte pas le code vestimentaire du bahut, bla, bla, bla. La donzelle digne de ce blaze ne fait pas étalage de son couvre-fesses.

Je me fais plus tartir que la tarte. Fil-de-Fer atteint de tels sommets d'emportement que je crains une chute de menton à tout moment. De l'autre mandibule, je ne sais pas si le choix du port de la robe orange s'avère judicieux en cas de dépassement du quintal. Je suppute que la vêture lui est confectionnée sur mesure, par le sadique de premier sadisme.

Fil-de-Fer :

– À présent, venons-en à des sujets plus réjouissants. Vous n'êtes pas sans savoir que la classe de 1re a eu l'immense privilège de partir camper quelques jours avec Herr Kamyer et Mlle Wilson, avant les vacances.

Je suppose que l'expérience fut merveilleuse. N'est-ce pas, mesdemoiselles ?

Le Top Gang entre ses quenottes, en vue de ne pas être esgourdé :

– Oh, *le positif, le positif.* La démence t'aurait-elle gagné le centuple menton ? *Le positif,* arrosoir et persil.

Seule Miss Frangette et ses collègues demeurées vocifèrent ce que voici :

– C'était génial !

Les filles ne sont ni plus ni moins que des campagnophiles.

Sur ces entre-fêtes, la Mère Fil-de-Fer invite l'expert en kneudel *und* l'experte en couic à monter sur l'estrade. Je me goure ou la Mère Wilson arbore déjà le cardigan de l'avent. Je vous ferais dégoiser que le lainage est décoré du renne ! Quant à Herr Kamyer, il a revêtu le costume à forte teneur en tweed *mit* cravate penchant vers l'inaccoutumée (tricotée) *und* falzar planant fièrement au-dessus de la cheville, ce qui a l'immense avantage de laisser apparaître la chaussette assortie à séduction incorporée garantie.

Nom d'un traquet rieur n'y allant pas par quatre chemins.

Mézigue à Jools par voie de chuchotement :

– Quoi de plus ravissant que l'idylle naissante ?

La copine se contente du décochement d'œillade.

Herr Kamyer est de première prise de parole :

– On z'est drôlement amuzés, n'est-ze pas, mesde-moizelles ?

Toute une chacune :

– Ben voyons, bla, bla, bla, screu, gneu, gneu.

La Mère Wilson reprenant le flambeau du n'importe quoi :

– Nous avons vécu une expérience extraordinaire,

les journées étant consacrées aux croquis d'après nature et à l'exploration des environs. Et nos soirées plus formidables encore, car animées par nous-mêmes.

Fil-de-Fer lui coupant le sifflet :

– Ce sont toujours les plus réussies.

La Mère Wilson de retour dans le monde irrésistible de la cambuse de toile, du campagnol *und* ainsi de suite :

– Absolument.

Notre Seigneur, on brasse en plein cauchemar. Il ne manquerait plus que le corps enseignant se fasse le poutou.

C'est alors que Herr Kamyer lâche la rampe et plonge caboche baissée en enthousiasme.

– Nous avons joué aux jeux auxquels *ich* jouais quand je faizais du gamping en Forêt-Noire, le théâtre d'ombres, et Mlle Vilson a chandé *mit* les filles et cuiziné l'exzellente *gut spangleferkel*.

Oh, Notre Seigneur, je savais que la saucisse ferait tôt ou tard son apparition sur le tapis.

Pour tout blablater, je m'en bats le globe oculaire avec une patte de mante de perdre le temps *mit* la saucisse *und* le Germain siphonné, car la matinée commence par le cours de *le bel France*. Or je ne suis pas pressée de retrouver la Mère Slack, car l'enseignante nourrit le ressentiment à mon égard.

Tandis que le germanophile et la Mère Wilson se cassent la binette de l'estrade pour cause d'hésitation maximale *und* conjointe, Fil-de-Fer fait l'annonce chocottogène :

– Bien d'autres aventures merveilleuses vous attendent au cours des prochains trimestres. Par ailleurs, j'aimerais que toutes les élèves de l'établissement profitent de cette aventure avec celles qui l'ont vécue. Pour ce faire, j'ai proposé à Mlle Wilson d'organiser un projet artistique. Il serait très profitable pour cha-cune d'exprimer ce qu'elle a ressenti au cours de ces quelques jours de camping par un dessin, une sculpture ou autre, qui seraient ensuite exposés sous le préau.

Roro à mézigue par le biais du murmure :

– Dis, Gee, tu comptes présenter la sculpture de ton bécot fatal *mit* la Marrade ?

Moi en mode bigleux :

– Je me demande si la Mère Wilson nous rejouera son apparition en plus simple pas pareil, par l'intercession du quadrille.

Baguette-à-béret

Je le dégoisai moult fois et le redégoiserai jusqu'à plus soif, *qu'est-ce que le point* du baguette-à-béret ?

Je me rendis mézigue-même au gai Paris, je zieutai le mime, je giguai sur le pont d'Avignon *und* régalai l'assistance de mon inimitable imitation de Quasimodo (comme me le rappelle judicieusement Jools), pas plus loin que devant Notre-Dame. Nonobstant, je ne réitérerai point le déplacement.

Tel est mon avis. J'ai pour gus de compagnie le Sublimo transalpin. Conséquemment, je n'ai pas la raison de me dégobiller en *le bel France*, si ce ne sont les frometogommes, que je n'affectionne point. Tout est dégoisé.

La Mère Slack est dans le starting-block, prête à me filer l'avoinée. Ce qui ne rate pas, par le fait. En vue de remplir mon devoir de conversation, je blablate innocemment :

– Je aime Italie pour vacance *und* amour. Je aime pas frometogomme. *Le merci. Le revoir.*

Ce à quoi l'experte en béret rétorque :

– Quant à moi, je préfère les élèves qui ne font pas les idiotes. Vous avez un blâme.

Nom d'un serin à front rouge japonisant. Deux blâmes avant même la récré sustentatoire.

Heure du dej' Je me demande *warum* la Marrade fit l'acquisition du lait hydratant en pharmacie. Le gus aurait-il viré sa cuti ? Pas impossible que je l'interroge de la sorte : « Dave, mon grand, ton derme est plus doux que la douceur. Aurais-tu changé d'orientation ? »

Encore faudrait-il que je le visse.

Encore.

Germain

Forte d'une consultation de son nouveau manuel d'argot germain, intitulé *Le Germain pour les zozos,* Roro lance la ci-devant apostrophe à l'enseignant :

– Dans mon dico perso, le bécot de plus de trois minutes se dégoise *abscheidskuss.*

La remarque de la potesse propulse Herr Kamyer en rubéfaction de magnitude cent douze, étendue à son entière surface corporelle. Vu la vue plongeante que l'homme offre de ses chevilles, je sais de quoi je blablate.

Le germanophone :

– Rozie, je vous zignale que zezi est de l'argot. Bersonne ne dit… euh…

Roro en vue de lui filer le coup de paluche :

– *Abscheidskuss ?*

Le Germain n'est ni plus ni moins que désopilatoire.

Cinq minutes après Pipi se dégoise pipi.

Und popo, *krappe*. Hahaha-hahaha.

Toujours en détention au Stalag 14

Récré d'aprèm' Je vous le blablate sans ambages, fréquenter l'établissement scolaire s'apparente à progresser dans la vie en marche arrière.

Moi au Top Gang :

– Vîtes-vous la Mère Wilson s'étouffer *mit* le soda quand Herr Kamyer lui demanda si elle portait la nouvelle blouse ? La femme est raide dingue de sézigue. Elle le veut à décès. Le germanophone est le *nec plus ultra* de l'attrape-fille.

Vérif immédiate de Roro dans *Le Germain pour les zozos* à la ligne attrape-fille.

Rosie :

– Oh, *ja*, Herr Kamyer est le gus de *traum*.

Jools :

– Au fait, Scooterino rentre à quelles calendes ?

Moi :

– Le quatorze.

Ellen :

– À quelle heure, enfin, est-ce qu'il t'a dit « À plus » ou « Je te passe le coup de bigo » ou le gus doit-il te passer le coup de bigo ou bien c'est toi qui lui passes ?

La cantonade lui décoche l'œillade généralisée.

Note, Ellen est dans le vrai. Le Transalpin n'a pas fourni la précision précise quant à son retour. J'ignore total à quel moment il compte débouler, matine, aprèm', nuitée. Conséquemment, il me faut être en alerte maxi à tout bout de pré, conjuguée tartine intense vingt-quatre heures sur vingt-quatre. Par ailleurs, il se peut qu'il ne me passe le coup de biniou que le lendemain, pour cause de décalage horaire.

J'ai la babine victime de la pulpitude spontanée.

Rappelée à l'étude par la cloche

En molle propulsion vers le cours de grand-britton (double rasade de), je suis frappée par l'idée de génie dont je suis plus coutumière que la coutume.

Moi à la cantonade :

– Je connais l'agissement susceptible d'empêcher Herr Kamyer de nous obliger à faire le devoir. Demandons à sézigue de nous corriger la traduction germaine de l'échelle des trucs et des machins, que je compte rédiger pas plus tard qu'en bio.

Grand-britton

La Mère Wilson confirme à la gent apprenante qu'elle est bien de corvée de *Roméo und Juliette* ce trimestre. Vu le succès mondial de *MacFesse* l'an passé, il sera de nouveau fait appel aux forces gussales du collège voisin, sous forme « d'assistance technique ». Ce qui veut dégoiser en clair et en Dave la Marrade : éteindre toutes les loupiotes *und* faire choir de la scène les « actrices ». Youpiiiiiiiiiiiiii ! ! ! ! ! !

La cantonade entre illico en vocifération :

– Félicité sans frontières ! Trois bans pour Albion *und* les Grands-Brittons ! C'est la fête à la grenouille, nouille, nouille !

La Mère Wilson manque de peu l'explosion de perruque.

Icelle en début de perte de contrôle de sa personne :

– Mesdemoiselles, calmez-vous. Je sais que la perspective est réjouissante… Rosie, descendez de la table et retirez cette barbe, s'il vous plaît.

Roro en perplexité :

– Mais je m'imprègne du personnage, mademoiselle Wilson. La pilosité faciale fut spécialement tricotée par le gus en collant de l'époque élisabéthaine, il y a mille lunes d'ici.

Cent ans plus tard, l'experte en Billy Shakespeare réussit le prodige de nous annoncer que l'audition des candidates se tiendra mercredi sous le préau et que toute une chacune est invitée à lire la pièce, en vue de déterminer le rôle qui la botterait.

L'abjecte Pamela Green s'enquiert de l'éventualité d'un rôle de canidé dans la pièce. La fille ne s'est jamais tout à fait remise d'avoir interprété le bouledogue dans *Peter Pan*.

La Mère Wilson :

– Non, Pamela, il n'y a pas de chien dans *Roméo et Juliette*, c'est une tragédie.

Mézigue :

– Sans vous commander, mademoiselle Wilson, vous pourriez répéter, parce que Pamela n'a pas sa pareille pour chercher le bâton *und* implorer.

La cantonade est aussitôt victime de l'hilarité grand format, ponctuée du « Hi ! Hi ! Hi ! » et conjuguée prétendu tripotage de pilosité faciale chaque fois que l'experte en Billy tente la description de l'intrigue de *Rom und Jules*.

Après dix minutes de poilade massive, la lourde de la classe s'ouvre *mit* fracas et Fil-de-Fer fait une entrée gélatineuse à grand renfort de vociférations, mâtinées tremblements de flan géant. La dirlo nous reproche le surplus de boucan *und* le ridicule et nous menace de la retenue le premier jour de la rentrée si la cantonade ne ferme pas son bec. Délire, délire, tremblote, tremblote.

Charmant.

Moi au Top Gang, en mode sourdine :

– L'élève déploie l'exaltation à l'envers du Barbe de l'Avon, qui se trouve être le plus formidable de nos vioques en collant, et zieutez ce qu'elle récolte en remerciements.

Et on se demande *warum* la jeunesse de nos jours n'apprend couic.

16 h 00 En sortie de cours de bio par la grâce de l'ultime sonnerie de la journée. Notre Seigneur, combien d'années passai-je au juste à apprendre comment tirer le meilleur de mon épiglotte ?

En vue du bâtiment central, j'avise la Nouillasse traverser la salle des petites sixième telle la bise. Je signale que Tête de Pieuvre porte la robe taille gnome, qui a le mérite de mettre en valeur sa rotule plus cagneuse que le cagneux. La fille me décoche l'œillade sombre, conjuguée dénouement de queue-d'équidé, en passant devant mézigue.

Bibi :

– Ta robe est *le ravissant*, Lindsay. Qui a fait l'essayage ?

La question innocente engendre chez l'intéressée le geste à forte teneur obscénatoire.

Moi à Roro :

– Quel exemple magnifique la Nouillasse est pour nozigue, je me goure ou je me goure ?

16 h 15 En traversée de cour, j'avise Super-Canon, le séant posé sur son nouveau scooter (je reconnais le stylé du motocycle), à la grille du bahut. La quasi-totalité des filles enclenche aussi sec le mode fifille, assorti secousse de perruque, en passant devant lui. Soudain, il me saisit dans son champ de vision. (Fichtre, si seulement j'avais procédé à la phase tartine !

En obligation d'aspirer mon pif en faciès et d'afficher la risette idoine à fort pourcentage en décontracture.) Il a la mirette trop charmante et je le revois comme si j'y étais quand je l'affranchis sur l'affaire mézigue *mit* Scooterino et que la larme lui jaillit de la susdite. Étant octroyé le court laps de notre idylle, je constate que nous consacrâmes le temps en *le grand quantité* à la chouinade tous azimuts. Toutes les plages horaires qui auraient pu bénéficier au bécot finirent à l'hôtel des Cœurs-Brisés.

Telle est la vie.

À mon approche, Super-Canon me décoche le sourire attristé que je lui renvoie par retour du courrier. Je vous ferais dégoiser qu'il est plus crousti que le fondant.

Lui :

– Ça va, Georgia ?

– *Le positif.* Tout baigne, tel le baigneur en bain. Et tézigue ?

– Oui, pas mal, euh, pas mal. Les Stiff Dylans m'ont proposé de chanter à leur prochain concert... Tu... Tu comptes venir ? Avec ton... euh... ton...

Je lui répondrais bien, mais je reçois le coup pointu en popotin. Aïïïe et aïïïe, par le fait. Je ne suis ni plus ni moins que poignardée par l'arrière-train. En retournement de caboche, je tombe sur la tronche grimaçante de la Nouillasse. *Und* parapluie.

Sézigue :

– Salut, Robbie. Prêt à partir, chéri ?

Guiboles de Phasme enfourche le scooter et, dans le dos de Super-Canon, me susurre ce que voici :

– Je vais te tuer.

Super-Canon en démarrage d'engin :

– À un de ces jours, Georgia.

Et « le couple » s'élance sur les chapeaux de roue.

Je suis leur progression du globe oculaire et vois la

Nouillasse se passer un didi en travers du gosier, sous-esgourdant qu'effectivement je suis plus trépassée que le trépas.

En obligation de me frictionner le fondement. À tous les ramponneaux, j'ai chopé le bleu et je vous ferais blablater que je suis toujours en convalescence de mon dernier accident popotal.

Moi à la cantonade :

– La fille est plus canidée que le canidé. Je n'en crois pas mes aisselles que Super-Canon remette le couvert avec sézigue. Si ça se trouve, il souffre de la déficience de cervelet.

Jas :

– As-tu souvenance de ce que tu m'as dit ? À savoir que le garçon se prend la copine de rechange à la vitesse de l'éclair en cas de tourneboulement majeur. Il se peut que tu aies poussé Super-Canon dans les abattis de Guiboles-de-Phasme-Tête-de-Pieuvre. À plus.

Pigé. J'ai comme qui dirait l'impression de me trouver en obligation de lui faire larguer la Nouillasse. Je me demande si icelle revêt toujours le nunga-nunga factice à rembourrage intégré.

Cinq minutes après Jasounette emprunte le chemin de traverse dans le dessein d'éviter Craquos, au cas où il serait sur zone. L'effet boomerang de l'emprunt de chemin de traverse est que Craquos ne manquera pas de s'interroger sur la localisation de Jas et, par ricochet, lui trouvera la totale fascination.

Venant de me faire prendre en flagrant délit de non-tartine par un ex, je refuse de courir le risque supplémentaire. Détour par le QG de la tartine du parc en vue d'une application de mascara *und* rouge à babines *und* ainsi de suite. Touche finale donnée à l'ensemble par l'apport du ressort à la perruque (caboche passée sens devant derrière sous sèche-mimines à air chaud), conjugué roulade de jupe à la taille et retirement de cravate. Et vous avez devant vozigue : Georgia la sophistication faite fille, au battant de pierre, *mit* son Top Gang (moins la sage femme de la futaie) !

Le trop bizarre, une chance qu'on soit passées par la phase replâtrage car, la colline pas plutôt descendue, Dave la Marrade *und* Declan *und* Edward *und* Rollo nous rattrapent. Ellen, Mabs et Jools actionnent illico la manette à gloussement de dinde et traînent du nougat en arrière-ligne avec leur « gus de compagnie ». Conséquemment la ligne de front n'est plus occupée que par la Marrade, Roro et bibi.

L'expert en poilade en nous prenant l'abattis :

– Faites preuve de la gentillesse à mon égard, les filles.

Ouaouh.

Je le mets au sent-bon de l'affaire *Rom und Jules.*

Icelui :

– *Le excellent ! Le excellent !* Moult occasions hilaratoires à l'horizon au rayon gus en collant.

Puis il ajoute qu'il a le cadeau pour Angus.

Ouaouh.

En lisière de parc, la vocifération se fait soudain esgourder. Les Saindoux Brothers. Youpi ! À la vision de la Marrade, les gras-doubles décochent le geste hontogène à l'expert. N'en jetez plus, le patio est plein, Oscar ramène alors sa framboise, en jean dramatique non ceinturé, provoquant le braillement que voici d'un des demeurés pur jus :

– Coincette !

Sur ces entre-fêtes, deux surchargés pondéraux s'emparent d'Oscar et lui baissent le falzar, exposant le calbute Bob l'éponge de Perverso junior au vu et au su de tout un chacun. Mark Grosse-Bouche entre alors dans la gigue, soulevant Oscar par le sous-vêtement. L'apprenti Saindoux se retrouve l'arpion pendouillant, tenu en l'air par la seule grâce du couvre-fesses.

Proprement étrange à tendance époustouflant.

La Marrade en hochement du chef :

– Travail remarquable.

Mézigue en reprise de marche :

– Dave, en tant qu'expert de la bizarrerie qu'est le gus, peux-tu m'expliquer le *warum* du comment de ce que nous vîmes à l'instant ?

La Marrade :

– Une coincette consiste à tirer brutalement le calbute de la victime par la face arrière, en vue de lui bloquer le sous-vêtement en popotin.

Décochement d'œillade de Roro *und* ma personne.

L'expert :

– Le fin du fin, comme de bien esgourdé, est la coincette atomique qui requiert de lui remonter le calbute par-dessus la caboche.

Je passe l'au revoir à leuzigue à mon embranchement et Roro *und* la Marrade s'en vont de concert.

La Marrade en marche arrière, conjuguée zieutage arrière :

– À plus, effrontée coquine !

Je les regarde s'éloigner, l'hilarité à la boutonnière et le « tout schuss sur le disco » spontané de mise.

Traîner avec eux n'aurait pas été de refus. Je me paye toujours la bonne tranche de rigolade *mit* la Marrade.

En chambre

Une supposition que mon cervelet persiste à comptabiliser les minutes qui restent jusqu'au retour de

Scooterino, une certitude que je tourne givrée. En obligation de m'occuper l'esprit (du moins ce qu'il en reste) à faire (et jamais je n'aurais cru venu le jour où je le dégoiserais) mon devoir de classe.

Deux minutes après Allez zou, va pour *Rom und Jules*.

Deux heures après Nom d'un aïx carolin sans porte de sortie. Billy Shakespeare peut se montrer dépressionnaire. *Rom und Jules* n'est pas à proprement dégoiser ce qu'on pourrait appeler une farce poilogène. L'intrigue ne se résume ni plus ni moins qu'à du bourre-pif, suivi de séances bécots entre jouvenceaux, suivies d'une nouvelle rasade de bourre-pifs, suivie de la survenue d'une harpie qui se prétend nourrice et expectore la blague dégueu.

En guise de bouquet final *le trop riant*, Rom et Jules imitent le suicide, tellement bien qu'ils trépassent pour de réel.

Deux minutes après Note, je partage leur état d'esprit, j'ai double rasade de physique demain.

Minuit Une supposition que Scooterino touche le sol grand-britton à vingt et une heures, une certitude que le compte à rebours de l'attente totalise sept mille vingt minutes. De l'autre esgourde, si le Transalpin touche le susmentionné à quatorze heures, l'espérance est de six mille six cents minutes. Le décalage horaire est-il de mise entre le Pays-de-la-Mozzarella-et-Tomates-à-la et la Grande-Britonnie ? Oooooooooooooooh, je ne dégotterai jamais le sommeil. Que faire ? Il est trop tôt pour procéder à la phase tartine, je risquerais de me faire lécher l'emplâtre par Super-Matou en cours de nuitée.

Deux minutes après J'ai trouvé. Par l'intercession du *Germain pour les zozos* que j'empruntai à Roro, je m'en vais parachever ma traduction de l'échelle des trucs et des machins à destination de Herr Kamyer et de la Mère Wilson. Je précise que je procède à la retranscription en vue de filer le coup de paluche aux tourtereaux au chapitre amouuuuuuuuur naissant.

J'en suis comme treize ronds de flan de mon attentionnitude.

Vingt-cinq minutes après *Ach*, ci-devant échelle du *knutschen* total lèvre-lèvre, contact maxi.

1. Händchen halten

2. Arm umlegen

3. Abscheidskuss (hahahahahahahha, le short-en-cuirophile fait encore une fois des miracles au rayon allégresse)

4. Kuss, der über drei minuten

5. Kuss mit geoffneten Lippen (j'ignore total comment Geoff a réussi le prodige de s'immiscer, mais je vous signale en passant que tel est le gus)

6. Zungenkuss

7. Oberkörperknutschen, im Freien (en extérieur)

8. Oberkörperknutschen, drinnen (en intérieur)

9. Rummachen unterhalb der taille (*ja*, oh *ja !*)

10. Auf ganze gehen ! ! !

Debout sur les coups de 7 h 00 Que je vous livre mon plan. Décollage pour le Stalag 14 en uniforme customisé (jupe retournée à la taille dans le dessein de la raccourcir, *und* pas de cravate ni béret). Tartine tartinée et perruque perruquée *mit* max de glamourosité à la clef. Propulsion de mézigue en déambulation spéciale hanche, hanche, secousse de perruque jusqu'au service pipi et Cie du parc. Rendue à cette étape, la distance me séparant de la grille du bahut n'est plus que de quelques centaines de mètres. Or donc, intrusion furtive en service, gardé par ma meilleure potesse au poste de canidé de garde, j'ai nommé Jas. Retirage de tartine, décustomisation de l'uniforme, enfilage de béret ridicule, etc. Reprise de l'aspect de la demeurée pur sucre et filage telle la bise, dissimulée au creux du Top Gang, jusqu'aux portes de l'enfer.

8 h 15 Jasounette attend ma personne sur son muret, en mode mâchouillement de frange. Si la fille dépasse les bornes au chapitre boulottage de perruque, il lui poussera la boule de poils de félidé. Mini-Bigleux m'a fait le coup la nuitée dernière. À l'issue de la toux, mâtinée étouffement, la bestiole m'a régurgité la boule de poils. Révoltant. Surtout que le poil n'affichait pas la même teinte que le sien. J'ose espérer que la chose n'a couic à avoir *mit* un éventuel léchouillis des Frères Dugenou. Nonobstant, il convient d'affronter le fait. Il se trouve que Gordy passe le plus clair de ses journées en niche des canidés à bouclettes.

Les deux décérébrés concourent prochainement pour

le concours de canidés. Une supposition que je chope Gordy en train de galoper aux arpions du père Porte-à-Côté, le collier rose en collier, une certitude que mes pires craintes se concrétisent. À l'heure de maintenant, Angus n'a pas retrouvé la force idoine pour enfourcher le frère Dugenou en guise de miniéquidé, tel qu'il chevauchait dans le temps. Mais le jour où Super-Matou reprend l'équitation, je vous laisse deviner ce qu'il fera si d'aventure il atterrit sur l'échine de Gordy.

Jasounette, après zieutage de ma personne :

– Gee, tu es décédée. Œil-de-Lynx te collera en colle le reliquat de ton existence et t'obligera à écrire le milliard de fois : « Bien que je ressemble comme trois gouttes d'eau à la péripatéticienne, je ne suis pas loin d'être une gourgandine. »

La déclaration propulse la potesse en hilaritude de magnitude soixante-treize, assortie grognements de goret. Nonobstant, elle reprend rapidement ses esprits par l'entremise de la clef de caboche que je lui inflige en représailles.

Jas sens dessus dessous :

– Je blablate juste que…

Libération de Jasounette car je ne comprends couic à ce qu'elle dégoise *und* elle a le faciès plus cramoisi que le rouge.

La potesse en rajustement de jupe :

– Je blablate juste que la Mère Œil-de-Lynx risque de virer mauvaise en te voyant pomponnée telle la fille de mauvaise vie.

– Je te fiche mon billet qu'elle ne me zieutera pas pomponnée. Le pompon n'est destiné qu'à Scooterino, s'il est en proche vicinalité. Je compte reprendre le look de toute une chacune avant de passer la grille. En clair être plus rasoir que le rasoir et plus lamentable que lamantin.

– Tom adore quand je suis nature.

– Je te ferais dire que tu n'es pas nature.

Sentant une montée de chiffonnade, je rétrograde sur-le-pré.

– Tu es plus irrésistible que la résistance, ô toi irrésistible trucmuche. Bref, je te livre mon plan : j'arbore la glamourosité jusqu'aux abords du service pipi et Cie du parc et, si je vois Scooterino, je récolte le bingo au chapitre amuuuuuuuur. Sinon, je file au service en vue de me détartiner *und* me rallonger la jupe. Idem au retour en cambuse. Glissade en service, application de tartine, retournement de jupe, etc. et sortie du Stalag 14 à l'abri du Top Gang, au cas où les jeunesses hitlériennes seraient de garde au rayon piégeage de filles. Par conséquent, une supposition que le Transalpin m'attende à la grille, une certitude que je suis à choir. Tu percutes ?

Comme de bien esgourdé, Jasounette fait montre du chiffon, mais j'ai l'assurance qu'elle s'exécutera.

Deux minutes après Miss Frangette :
– J'ai lu *Rom und Jules* hier soir. C'est trop beau, tu ne trouves pas ?

– *Le négatif,* je trouve l'œuvre étrange. Je dégoiserais même plus, plus étrange que *MacFesse,* ce qui en dégoise long sur l'étrangeté.

Jas déjà repartie en Jasland :
– Cette histoire est trop romantique. Tu te rappelles le moment où la nourrice et les Capulet blablatent du mal de Rom ? Tu as vu comment Jules le défend ? Perso, je cogite que tout un chacun pourrait en tirer la leçon.

– Ah, oui, laquelle ? Éviter de convoler à treize ans *mit* je ne sais quel nouillasson en collant ?

Jasounette, la mirette plus embuée que la buée :

– Non, la leçon est qu'il faut être fidèle à ses sentiments, peu importe ce que d'aucuns dégoisent. Et c'est
warum j'ai décidé de renoncer au jeu de l'élastique
avec Tom. Je l'aime, point et virgule. Il peut faire ce qui
lui fredonne, je l'aime.

Nom d'un guillemot de Brünnich en porte-à-faux.
Serait-il idoine d'entonner la ritournelle *und* frapper le
tambourin ? Jas a viré petit Jésus en béret.

Ce qui me remet en souvenance mon souhait de
postuler pour Mercutio. La profusion de raisons à
caractère littéraire préside à cette option : Mercutio
bondit tel le cabri en collant durant deux scènes, puis
se fait trucider par le truchement du coutelas. Résultat
des courses, le rôle m'octroie la pléiade d'heures à
consacrer à du traînement en coulisses à base de marrade *mit* mes potesses. *Und* poteaux.

Lecture de *Rom und Jules,* assortie audition en préau

14 h 00 La Mère Wilson crève déjà le plafond de
l'hystérie de première fraîcheur.

Mézigue à Roro :

– Certaines quidams n'ont pas l'étoffe de l'enseignante spéciale jeunes.

Rosie :

– Désignerais-tu la quidam dépourvue du contrôle
de sa perruque ?

– *Le positif.*

Décidément, la Mère Wilson cherche le bâton pour se
faire tancer. On aurait pu cogiter qu'après le désastre jon-
glage d'agrumes de *MacFesse*, l'experte en couic aurait
appris à lever l'arpion au chapitre innovation. Mais *mit*
certaines personnes, autant pissoter en violoncelle.

Cette fois, la femme nous suggère l'intromission de
la marionnette, conjuguée mime à notre registre. La

proposition conduit toute une chacune à l'incarnation factice de la marionnette du *Muppet Show*. Je ne vous raconte pas le taux de poilade.

Deux ans plus tard, la cantonade est limite en voie de freiner au rayon hilaritude avec reprise de contrôle de sa personne, quand la Mère Wilson nous apprend qu'au bon vieux temps, le public n'était pas à salement dégoiser porté sur le silence et passait son temps à éructer la blague douteuse *und* trucmuche aux acteurs.

Rosie :

– Style : « Roméo, Roméo, diantre où est passée ta culotte, Roméo ? »

La remarque de la fille a le mérite de réintégrer la culotte dans le moindre de nos agissements. La Mère Wilson n'a qu'à s'en prendre à sézigue.

Dix minutes après Jas fait étalage d'un jasisme pour le moins irritant. Elle connaît déjà toutes les répliques de Jules des deux premiers actes. Plus lèche-popotin, tu décèdes. Je signale en passant qu'elle apprit le texte pour cause d'identification véritable à Jules.

Et son Craquos à Roméo.

Comme je le lui fais très judicieusement remarquer :

– Il conviendrait de te passer l'au revoir, étant octroyé que tu trépassas à l'âge de treize ans. Deux ans déjà, par le fait.

Pour toute réponse, la copine se trisse rejoindre le troupeau qui prend l'affaire *Rom und Jules* au sérieux.

Deux minutes après Moi me fadant le prologue de tout mon battant en devant de scène :

– « Deux familles, égales en noblesse,

Dans la belle Vérone, où nous plaçons notre scène,

Sont entraînées par d'anciennes rancunes à (je ne peux résister à la perche poilogène qui m'est tendue) des rixes coupelles,

Où la culotte des citoyens souille les culottes des citoyens. »

Je ne vous raconte pas l'enjouement de première joie. Je crains même le spasme de nerfs chez Roro.

La Mère Wilson en mode vocifératoire :

– Mesdemoiselles, mesdemoiselles, cessez ces imbécillités. Dire culotte à tout bout de champ n'a rien de drôle.

Je crains que la femme ne soit dans le faux.

Vingt-cinq minutes après De toutes les façons, l'issue horriblogène de l'affaire audition est que le rôle de Jules échoit effectivement à Miss Lèche-Croquenot. Je crains que les semaines à venir ne soient invivables. La fille risque de ne pas se prendre pour du popo, style à tailler la bavette avec la Mère Wilson. Par le fait, je l'ai surprise en train de dégoiser ce que voici à l'experte en Billy :

– Possible qu'une marionnette de chien parachèverait l'atmosphère élisabéthaine de la pièce. Juliette pouvait très bien en avoir un.

Possible que la tomate pourrie en bec parachèverait l'atmosphère élisabéthaine de tout le toutim.

Roro remporte le rôle de nourrice, ce qui équivaut à un suicide théâtral. Ellen est Tybalt *und* votre serviteuse, Mercutio. Hourra !

La Mère Wilson en rabat-allégresse de première :

– Je vous ai choisie, Georgia, parce que, bien que vous ayez fait la folle cet après-midi, j'ai la certitude que vous ne me décevrez pas, ni vos camarades.

Jasounette :

– Balivernes.

Miss Frangette a déjà atteint le numéro trois de l'échelle de la chiffonnade (lancer de tête, conjugué tripotage de frange) alors que la phase lecture de l'œuvre n'a pas encore été abordée.

De l'autre poignet, je me demande *warum* la cantonade prend la peine de répéter les scènes finales, car *mit* Ellen au rayon hésitation d'une paluche et épée de l'autre, nulle ne survivra au-delà du deuxième acte.

En service pipi et Cie

Envoi de Jools en mission de reconnaissance et en vue de repérer l'éventuelle présence d'un Sublimo transalpin devant la grille du bahut. J'ai de la tremblote de paluche et manque de peu la cécité par deux fois et par l'entremise de la brosse à mascara. Notre Seigneur, merci, le sport ne nous fut pas imposé cet aprèm', nous obligeant à caracoler telle la niaise. Résultat des courses, ma perruque n'a rien égaré de son ressort.

Dix minutes après Retour de Jools en service.
— OhmonDieumonDieu, Gee, il est là. Sur son motocycle à la grille. Et il est comme qui dirait doré, et bref, j'adore Rollo, mais là, tout ce que je peux dégoiser c'est ouaouh !!! Puissance ouaouh.

Mon popotin manque choir de mon couvre-fesses, m'obligeant à poser séant en lavabo. Nom d'un crabier chinois à ventilation intégrée. J'ai le battant qui fait des huit.

Le trop bien, les pionnes sont de réunion de discipline, car je ne suis pas sans ignorer l'intention de la Nouillasse de me choper à la moindre vétille. Miss Non-Front a le plan concernant ma personne et je mettrais ma paluche au micro-ondes qu'il ne me plaira pas.

Nonobstant, pour l'heure de tout de suite, la fille est hors d'état de nuire.

Intrusion du total Top Gang en service.

Moi à la cantonade :

– Je suis plus prête que le prêt. J'attends de vozigue que vous me teniez la paluche à la mode figuré en vue de traverser la cour sans risquer le cassage de binette.

Jools :

– Perso, je n'ai jamais expérimenté la tenue de main à la mode figuré. Comment se pratique-t-elle ?

Bibi :

– J'explique. Toute une chacune traverse la cour, l'hilarité et la converse à la boutonnière comme si retrouver un Sublimo était plus normal que la normalité. Sauf que tout en bavassant et ainsi de suite, vous me tenez mentalement la mimine, en vue de ne pas me prendre le gadin de première chute.

Jas, n'étant toujours pas redescendue sur terre depuis qu'elle est Jules, persiste dans le n'importe quoi, telle Miss Chouette la demeurée :

– Par tenir mentalement la minime, esgourdes-tu que nozigue devrions te serrer la susmentionnée d'une main et tourner intellectuelle de l'autre ?

– Jas, Jas, je t'en supplie, plie, ne m'oblige pas dénaturer ma coiffure par le biais du battage comme plâtre de tézigue. Tu percutes parfaitement ce que j'esgourde. Obtempère !

Aussitôt blablaté, aussitôt fait. La converse, conjuguée marrade, est de mise tout au long du cheminement, pas à pas. J'ignore total ce que d'aucune éructe, à commencer par mézigue. Je n'ai jamais eu le tensiomètre à cette altitude. Je m'absente rapidement de mon hilaritude en décontracture en vue d'un jeter de mirette en direction de Scooterino. Le Transalpin a le séant posé sur son motocycle, la guibole longiligne croisée. Je ne vous raconte pas l'écart du battant. Le gus n'est ni plus ni moins que crousti-fondant. Comment se fait-ce que je le botte ? J'ai comme qui dirait l'impression d'être en film.

À ma vision, sézigue lève séant et retire le gant. Je signale en passant qu'il a revêtu le blouson de cuir bleu pâle et que sa perruque a crû. Il dégage le Mozzarella à plein pif !

Sézigue en agitation de paluche *und* mode vocifératoire :

– Georgia, *ciao, cara, ciao !*

Sur ces beaux vocables, il enclenche la marche avant.

Lui :

– *Ciao, signorinas* et voilà, comment vous dites déjà, la très ravissante, *molto bellissima*, mademoiselle Georgia !

Sur ces entre-fêtes, rendu en proche vicinalité de ma personne, le Transalpin me soulève du sol et passe sans plus tarder au bécot à pleines babines *mit* pression assurée. Pas de préliminaires ni couic. Direct au bécot certifié bécot. Et je vous ferais blablater qu'il ne s'agit pas de la version courte du susdit. Avec l'arpion à vingt mètres de la terre ferme et la mirette non close pour cause de surprise, je crains de développer le strabisme convergent. L'appendice buccal du gus penche franco pour l'agréable avec ce bémol que je n'ai pas l'impression de bécoter en terrain connu. La séance s'achève sur le bécot exprès, suivi de la suivante déclaration :

– Je attendre ça depuis longtemps. Viens, mademoiselle.

Aussitôt dégoisé, aussitôt emmenée vers le motocycle par la pogne.

En retournement de caboche, j'avise le Top Gang criailler de la voix pointue de scout :

– Ooooooooooooooooooh, je zieute !

Balade à dos de scooter à travers les venelles. L'expérience exhale la glamourosité à plein tarin. Le bolide emprunte l'artère principale tel Fangio. Rendu au feu de signalisation, le Transalpin abaisse la béquille et descend de monture, le moteur enclenché. Je précise que l'automobile nous entoure à foison et que le passant passe. Je me demande ce que Scooterino mijote. Serait-il idoine de mettre l'arpion à terre ? Attend-il de mézigue que je prenne le guidon ? Sachant que j'ignore jusqu'au maniement du cycle simple.

Scooterino en retirement de casque à ma personne :

– Il faut que moi te bécoter plus.

Nom d'un pluvier guignard surmené. Aussitôt blablaté, aussitôt bécotée. Le gus amorce le penchement, repousse mes bésicles et me bécote en pleine zone labiale. Comme c'est… intéressant. La pratique ne manque pas de délicieux, mais je faillis au chapitre concentration pour cause de population nous zieutant. Il ne m'échappe pas qu'un mouflet se cure le pif à l'arrière d'un véhicule. Le Klaxon se fait esgourder ainsi que le quidam criaillant ce qui suit :

– Remonte sur ton engin, vieux !

Scooterino ne semble pas percuter. Il pousse même la capsule à introduire l'extrémité de sa langue en bec de votre serviteuse, me provoquant illico du ramollissement de rotule.

Lui à tue-caboche à la cantonade automobile *und* pédestre *mit* révérence jointe à la parole :

– Voilà qui est mieux. Maintenant moi pouvoir continuer. Merci.

S'ensuit une remontée preste en scooter, elle-même talonnée par une enfilade de casque (sans attacher la lanière… J'imagine le commentaire de Miss

Frangette) *und* remontée de béquille, le tout couronné par un départ en fanfare.

Nos tours de roues nous amènent en futaie. La soirée affiche la température clémente de début d'automne. Le ru gazouillant en traversée de galet *und* rocher croise notre chemin. Note, une supposition que je me trouve en obligation de m'adresser à Scooterino en avenir proche, une certitude que j'imite le ru au rayon gazouillis.

J'ai le tensiomètre au max *und* beau me creuser le cervelet, je ne trouve couic à discourir.

La raison en est la séance bécot à laquelle nous nous livrons. Je précise qu'icelle entre direct en catégorie crousti-moelleuse à sous-couche fondante, *mit* sensation de fusion qui abolit la frontière entre sa babine et la mienne.

Un quart d'heure après Aucun changement au chapitre tensiomètre et je ne trouve toujours couic à blablater. Nonobstant, tout baigne, car nous avons établi résidence au paradis du bécot, où le festin bécotoire nous est servi.

Roro est dans le vrai. Le gus non grand-britton est adepte de la variation de pression labiale, qui démarre en mode mou, suivi dur, suivi mou.

Je me demande ce qu'il adviendrait si nous décidions de l'agissement similaire en concomitance ? Je vous file l'exemple : une supposition que sézigue et mézigue options pour la pression en mode dur de concert et que j'aie fait l'impasse sur l'abandon, choperions-nous de la raideur de nuque ? Ou, une supposition que je vote pour l'abandon et sézigue aussi, nous casserions-nous la binette ? Ou, une supposition qu'il penche vers la droite *und* que je lui emboîte le pas et qu'il y ait collision dentaire, serions-nous… oh, tais-toi, cerveau.

Curieux, quand je bécote en mode normal, mon cervelet s'octroie la pause à Givreland et d'habitude, ne prend pas part au concours de débat sociétal concernant les techniques bécotales.

Scooterino met fin au bécot en cours et me mate pile en mirettes. Il ne dégoise couic, se limitant à l'œillade. Perso, je me refuse à cligner pour cause de grossièreté avérée et prends le parti du baisser de mirettes car les susmentionnées sont en limite de mouillure. En remontée d'icelles, je constate que le gus persiste et signe au rayon zieutage. Il est, il faut le blablater, plus crousti que le fondant, puissance crousti-fondante.

Que je vous le décrive, le cil long et le pif digne de ce blaze. Impossible de lui inspecter les narines, par le fait. Le bec adorable, *mit* juste ce qu'il faut de pilosité en zone mentonnière, style piquetée par le designer. Et non catégorie campagnol en goguette en bas de faciès comme mon Vati. Ni duvet de popotin, tel qu'exhibé par Oscar. Ni porc-épic qui pique tel mon Grand-Vati. Nonobstant, une véritable pilosité, certifiée poil.

Par ailleurs, bien que je répugne à lorgner tel le trucmuche lorgnant sous traitement lorgnant, il me semble apercevoir un léger gazon émerger de son col de chemise.

Nom d'un gorgebleue à miroir en cessation d'activité.

Être le gus et ne plus devoir en passer par la répression du poil entre dans la catégorie *le génial*. Quelle félicité de pouvoir laisser sa pilosité aller à sa guise sans entrave. Comme de bien esgourdé, il convient cependant de ne pas pousser la capsule trop loin. J'en veux pour preuve certains spécimens adeptes du jeu de baballe en parc qui affichent la guibole de chimpanzé du short à l'arpion. J'ignore total ce qu'il en est de la partie supérieure du corps et ne souhaite pas être mise au jus.

Quand j'y cogite, la Marrade n'est pas dépourvu de pilosité non plus. De toutes les façons, tais-toi concernant l'expert, il n'a couic à faire dans ce scénario.

Par ailleurs, la Marrade se fourre le didi en mirette en sous-esgourdant que Scooterino est homosexualiste. Tel est le fait.

L'intéressé :

– *Cara*, il est frisquet du nunga.

Vérif immédiate de la région mammaire. Je Vous en supplie, plie, Notre Seigneur, faites que je ne sois pas victime du bout de sein en devanture. Pas trace d'iceux. Ouf. Couic à déclarer. Je retourne à Scooterino, qui m'expectore le « Brrrrr », assorti pose de blouson sur mes épaules.

Mézigue :

– J'ai pigé. Tu voulais dégoiser frisquet de la nouille !

La compréhension me propulse en hilarité. *Trop le dommage* non celle recommandée en pareilles circonstances, mais la version porcine. Génial, voilà que je m'esbaudis telle ma petite sœur siphonnée.

En retour vers le motocycle, le Transalpin s'adresse à ma personne de la sorte :

– Ma… euh… autre copine, en Italie. Je aimerais toi la connaître.

De quoi ? De quoi ? Serais-je en ménage à trois (ou plutôt en menagio à *tre*) ?

217

Il se trouve que Scooterino blablate de son ex-copine que je zieutai au concert des Stiff Dylans *und* avec laquelle il sortait jadis avant mézigue. Gina. Tout ça pour dégoiser que la fille a rencontré le Grand-Britton et que la noce s'ensuit ! Scooterino est en désir que je la rencontre à l'occasion de son passage chez nozigue dans le couple de semaines.

Nom d'une bondrée apivore en stage de formation.

Je n'ai jamais pratiqué l'ex-copine.

Sans compter que la fille convole !

Ouaouh.

Et elle ne convole pas à la mode Rosie. Point d'épousailles vikings d'ici vingt-cinq ans. Mais de la noce pur beurre, sans cornes ni couvre-chef en hareng.

Mon *Comment séduire à coup sûr le dernier des caves* a intérêt à afficher le chapitre conseil en matière de bavette *mit* ex-copine. Style, dix trucs pour éviter d'aborder le bécot du passé.

Jamais, au grand jamais, je ne dois discourir ceci : « Dis donc, Gina, tu pourrais m'éclairer sur le numéro que tu atteins *mit* mon gus de compagnie au chapitre échelle des trucs et des machins ? » Hors de ma caboche, échelle bécotale du passé ! ! !

Nous déambulons de-ci *und* de-là *mit* prise de paluche, mais en mode muet. Impossible de trouver le trucmuche farci à la normalité à blablater.

Scooterino au bout d'un laps :

– Ce soir, moi répéter avec les Stiff Dylans. Toi venir avec moi ?

Dans mon for intérieur, je me fais la réflexion que voici : « Euh, couic au monde ne me ferait hocher du chef trois siècles durant au gré de la ritournelle *und* rentrer en cambuse par le truchement de la camionnette à matos musical *und* poser séant sur la batterie de Dom *und* choir au travers. » Tel qu'il advint la dernière fois que j'assistai à une répèt' du groupe. Par le fait, dès que j'arrive sur zone, Dom se poste devant son instrument.

La pléthore de raisons préside au *warum* couic ne me ferait assister à la susmentionnée répèt'. Pour tout dégoiser, je préférerais avoir la surface corporelle couverte de l'œuf de batracien. Légèrement torréfié de préférence.

Nonobstant, ce n'est pas ce que je blablate.

Mézigue :

– Euh, *le négatif,* j'ai le devoir de classe.

Scooterino, la risette à la babine et la caresse mentonnière appliquée à ma personne :

– Aaaaaaaaaaaah, la petite Georgia doit faire ses devoirs.

La remarque est dégoisée en gentillesse, mais je me sens telle l'idiote. Or donc, peu de changement.

L'autre occasion de faire preuve de l'idiotie de première idiote m'est épargnée par le scooter que nous enfourchons pour traverser la ville à la vitesse du son.

Être en compagnie de sézigue dégage le trop-bien. La gent féminine dans son ensemble se dévisse la caboche à notre passage. J'opte pour la décontracture à tous les étages, la mimine à peine posée sur son épaule, mais le tournant pris à la vitesse de la lumière m'oblige à m'agripper à son casque.

Dégobillé devant chez mézigue, Scooterino descend de motocycle et me décoche le bécot grandeur nature en guise de prise de congé. J'avise la mère de famille planquée derrière le voilage de salon. La situation empeste le gênant à plein blair.

Moi en rubéfaction de petite amplitude :

– Oh, Notre Seigneur, ma Mutti nous zieute.

Le Transalpin se tourne alors vers le carreau et souffle le poutou.

Sézigue :

– Peut-être elle vouloir participer.

OhmonDieumonDieu, la perspective renferme le coefficient d'épouvantable le plus élevé de la planète. Cette fois, me voilà mêlée à de la débauche d'Europe ! ! !

En pénétrant en cambuse, j'esgourde Mutti détaler en cuisine et en fermeture de lourde, icelle criailler ce que voici :

– C'est toi, Georgia ?

– Mutti, j'ai vu ta caboche s'agiter telle la perruche.

La femme en sortie de cuisine :

– Il est carrément irrésistible.

Pour toute réponse, je rejoins mes appartements *mit* dignitosité à tous les étages.

Minuit Excellente *news*, Angus est sur l'avenue de la guérison. Le félidé a choisi de dormir sur mon cigare. Et, en vue d'éviter un cassage de binette qui réveillerait Sa Seigneurie, Super-Matou me plante la griffe en cuir chevelu.

Jeudi 15 septembre

Être la fiancée d'un Sublimo requiert d'icelle le boulot en *le grand quantité*. Le pomponnage constant est de mise, car tel l'exige mon public. Quoi qu'il en soit, étant octroyé que je ne veux risquer la flagellation massive perpétrée par la fasciste de premier nazisme (Œil-de-Lynx et consœurs), je fais la totale impasse sur la tartine, si ce ne sont une pincée de trompe-couillon, assorti gloss *und* mascara. Mâtiné trait microscopique d'eyeliner blanc en intérieur de mirette dans le dessein de lui conférer l'attirant *und* formidable *und* humph.

Vomie devant la grille du bahut, je découvre Scooterino en attente de ma personne, le présent à la mimine ! Honnêtement ! Quel est le taux de romantisme de la chose ? Je vous le demande. *Molto molto romantico*. Le présent est le flacon de sent-bon mozzarella répondant au doux blase de Sorrento.

Nul quidam ne m'avait offert le sent-bon jusqu'à aujourd'hui. Libby m'en confectionna de sa fabrication perso à base de pétales de rose additionnés de lait, mais ce n'est pas pareil. D'autant que Mini-Bigleux le but.

En passant dans les parages du Transalpin, l'ensemble apprenant tourne en siphonnitude, qui se manifeste par le biais de la secousse de perruque *und* moues démentes. J'apprécie à décès. Quant à mézigue, je lui décoche la risette timide, conjuguée zieutage qui monte et qui descend, *mit* à peine un soupçon de secousse de perruque. Couic à voir avec les décérébrées qui m'entourent. J'espérais le bécot de paluche, suivi du départ en fanfare, mais le gus me bécote ni plus ni moins que tout bonnement ! Un total lèvre-lèvre au vu et au su de toute une chacune. En clair, Œil-de-Lynx.

Scooterino pas plus tôt déguerpi, Nazie Ire surgit devant mézigue telle la fiancée de Dracula en mode vocifératoire.

Œil-de-Lynx :

– Georgia Nicolson ! C'est un scandale. Vous faites honte à votre uniforme. Quel exemple pour les plus jeunes de vous conduire comme une péripatéticienne ! Que vont-elles penser ?

Par le fait, je pourrais répondre à la question car, en me rendant mollement chez Fil-de-Fer en vue d'une deuxième rasade de divagation *und* emportement, je croise les deux choupettes qui m'apostrophent de la sorte *mit* clignement de mirette :

– Eh, ben, dis donc !

La Nouillasse en accompagnement de mézigue chez la dirlo :

– Repoussante gourgandine. Massimo mérite une médaille pour avoir la charité de te toucher.

Oh, je la hais de haine haineuse en *le tel quantité* que je pourrais la mettre en bouteille.

Fil-de-Fer m'inflige l'admonestation de première gelée, l'espace de trois millions de siècles *und* demi.

Sézigue :

– Bla, bla, bla, exemple effroyable… bla, bla, bla… Interdit de se faire des mamours avec les garçons… tout le temps pour ça… à mon époque… pas de mamours avant d'avoir atteint l'âge de quatre-vingt-cinq ans… etc.

Éducation religieuse

9 h 45   Trois millions de siècles *und* demi plus tard, je file poser séant en vicinalité de Roro, forte de deux heures de retenue.

La copine me fait passer le bonbec accompagné du mot que voici :

La méchante dame gélatineuse t'a-t-elle fait grimper le chocottomètre par l'entremise de ses centuples mentons ?

Réponse de bibi :

Le négatif, mais je te signale qu'elle employa le mot «mamours».

Je suis limite au bord de dégobiller.

En classe de dessin

Certes, du mauvais coude, j'ai chopé la double portion de retenue, mais du bon, j'ai la jauge à joyeuseté qui remonte pour cause de port de mon nouveau parfum mozzarella offert par mon gus de compagnie plus crousti que le fondant. Sans compter qu'avec mes meilleures potesses, le Top Gang, je suis de projet artistique à base de désastre campinguesque au lieu de me fader le cours véritable. Allégresse à tous les étages !

La Mère Wilson fait une rechute au rayon enthousiasme débordant. Il faut dégoiser que la semaine de l'experte en couic est riche en créativitosité. Primo une version marionnettiste de *Rom und Jules* et deuzio une version artistique du désastre campinguesque.

Jas partage l'exaltation de l'enseignante. Par le fait, elle déambule de curieuse façon, le pas comme qui blablaterait flottant, conjugué secousse de perruque. *Warum ?*

Trente secondes après Ça y est, je percute ce qu'elle manigance, elle déambule de ce qu'elle imagine crédulement être la manière élisabéthaine. Alors qu'en fait, elle a tout de la quidam affligée de l'affaissement majeur.

La fille a apporté sa collection de croquis de tritons *und* trois pots de confiote farcis à l'œuf de batracien.

Mézigue à sézigue :

– Jasounette, je te signale que ceci n'est pas de l'œuf de batracien, mais ni plus ni moins que du popo de pif en pot.

Miss Frangette ne prend même pas la peine de me répondre.

Perso, je confectionne le couvre-chef en feuilles.

Roro :

– Qu'est ceci ?

Moi :

– Le couvre-chef en feuilles *und* ainsi de suite, à usage d'hommage triomphant à dame Nature.

Rosie :

– *Le négatif*, tel n'est pas. Ceci est le tas de feuilles affichant le n'importe quoi.

Peut-être, je ne dégoise pas, mais en tous les cas, mon œuvre surpasse d'une bonne louchée « l'orchestre naturel » de la potesse, qui se résume au grain de riz en boîte, accompagné de la cuillère.

Herr Kamyer nous paye la visite et, à la vision de son « gus de *traum* », la Mère Wilson est victime de l'attaque d'hésitation panoramique.

À tous les pains, je vais être obligée de la mettre au jus de l'échelle des trucs et des machins, version germaine, afin qu'elle soit préparée au cas où Herr Kamyer lui sauterait sur le râble en vue de lui assener un numéro trois : *abscheidskuss*.

Cinq minutes après Je signale à tout un chacun que Jasounette fredonne *Les collines résonnent du chant des culottes* en rangement de pots de confiote.

Moi :

– Jasounette, sais-tu comment le Germain dégoise « popo de pif » ? Je te le donne en vingt-deux : *schnodder*. L'idiome est décidément poilogène, non ?

– Chut.

– Sais-tu comment le short-en-cuirophile blablate « chut » ?

Pour toute réponse, Miss Frangette pousse le volume du fredonnement.

Deux minutes après Atteinte de la crise spontanée de givre aggravé, Roro se mêle au chœur des *Collines résonnent du chant des culottes*, en s'accompagnant à la boîte de riz *und* cuillère. Esgourdez plutôt :

– Les collines résonnent du chant des culottes, culottes que je revêtis pas loin du millier d'années !

La ritournelle est décidément contagieuse. J'improvise aussi sec une gigue de la futaie enchantée qui nécessite le coup de latte en hauteur, mâtiné usage de la feuille.

La cantonade de tout son battant :

– Je rejoins la culotte où mon cœur est solitaire…

Mais Herr Kamyer met le holà au chœur d'une paluche de zinc.

Icelui en mode vociférateoire :

– Mesdemoizelles, mesdemoizelles, nouz arrêtons le projet zi vous continuez ze bruit ! Qu'y a-t-il de zi drôle *mit* culotte ?

Toute une chacune finit par retrouver la quiétude, nonobstant je glisse ce que voici à l'esgourde du Top Gang :

– *Kackmist.*

En grand-britton : billevesées. Je ne vous raconte pas la tranche de marrade.

16 h 20 Oh, Notre Seigneur, que la retenue est tartante ! La Mère Stamp est de garde au chapitre garde de ma personne. Je mettrais mon cigare au four qu'elle se bichonne la moustache pendant que je griffonne : « Le goût pour la superficialité conduit immanquablement à se heurter à l'autorité. »

Un million de fois (grosso *und* modo).

Mais j'ai l'ouvrage de germain sur la rotule. Hi ! Hi !

Mamours se dégoise *rummachen*. Plus désopilant tu trépasses.

17 h 30 Liberté ! Liberté !

J'exécute l'échappement de bahut par l'entremise de la glissade que je poursuis pour descendre la descente devant le parc.

Parc d'où émerge soudain la Marrade en sortie de service pipi et Cie. *Caramba !* Je mets fin à la glissade, mais le mal est fait.

La Marrade :

– Excellente figure libre du nunga-nunga, Georgia !

L'expert affiche la légère sudation pour cause de jeu de baballe et la perruque un couic humide. Je ne suis pas insensible à la chose, d'autant qu'il exhale la senteur chou.

La Marrade en déambulation *mit* mézigue :

– Que fricotas-tu ces derniers temps ?

Je fais l'impasse sur la raison officielle de la retenue. Par le fait, je lui décoche le bobard, prétendant avoir reçu la punition pour gigue improvisée sur *Les collines résonnent du chant des culottes.*

Sézigue :

– Je te vote toutes mes félicitations.

Accoucher du bobard me procure le malaise, mais de l'autre tibia, je ne me vois pas dégoisant à la Marrade que j'écopai de la sanction pour cause de bécot majeur devant la grille du bahut *mit* Scooterino.

Quatre minutes après Décidément la Marrade me transporte en poilade. Je lui narre l'affaire échelle des trucs et des machins en germain, qui provoque cette réaction de sa part, accompagnée hochement du chef :

– *Oh, ja oh, ja ! Ich liebe der knutchen* total lèvre-lèvre contact maxi. *Ich bin der vati !*

Puis il ajoute ceci :

– Dis, Gee, ça te blablaterait de procéder à une séance de *rummachen unterhalb der* taille ? En souvenir du bon vieux temps ?

– Quelle outrecuidance !

– Tu en raffoles, petite *fräulein* effrontée.

Pour toute réponse, j'enclenche la cinquième. J'ai ma fiertitude.

Le gus me rattrapant :

– Cesse de tenter de séduire ma personne.

Mézigue plus ébahie que l'ébahissement :

– Je te signale en passant que c'est tézigue qui quémandas le *rummachen*.

– Que nenni.

– Euh, *le positif,* Dave.

– *Le négatif.* Tu te jetas sur ma personne, pour cause de non-résistance à mézigue. La chose est pathétique.

Moi en arrêt, assorti décochement d'œillade :

– Je peux résister à tézigue, car j'ai le Sublimo transalpin en guise de gus de compagnie.

– Je te ferais dégoiser qu'il est homosexualiste.

– Il n'est pas.

– Il a le blouson en cuir bleu layette.

– La vêture ne lui confère pas l'attribut homosexualiste, mais mozzarella.

– J'ai dégoisé ce que j'avais à dégoiser.

Je lui poste le zieutage et icelui se penche alors vers mézigue *und* me décoche la pareille. Le gus a la lippe avantageuse et, l'espace de la seconde, je perds souvenance de ma localisation géographique. Je sens ma lippe prendre les devants et...

Et l'expert me refoule sans ménagement, manquant me faire choir.

Le mot me fait défaut. *De quoi ? De quoi ?* J'ignore total quel est l'agissement idoine. Je suis plus sidérée que la sidération. Conséquemment, j'imprime la méchante poussée à sézigue. À laquelle il répond par l'identique, m'envoyant valdinguer les quatre fers en l'air. La station debout réintégrée, je lui file la bourrade.

Sézigue :

– Cesse de me harceler. Ta copine transalpine va se fâcher tout rouge et sortir son sac à mimine assorti au blouson.

L'expert est plus irritant que l'irritation. J'amorce le mouvement en vue de lui imprimer la énième poussée quand Scooterino déboule sur zone à dos de scooter !

La Marrade lui décoche le signe de paluche et me déclare ce que voici en partance :

– Oooooooooooh, elle n'a pas l'air jouasse.

Par le fait, l'expert est dans le vrai. Scooterino ne fait pas montre de l'allégresse.

Sézigue *mit* cependant risette tandis que j'approche :

– *Ciao*… toi te battre avec Dave ?

– Euh… *le négatif*. C'est juste que l'expert… euh… me faisait la démo d'un marquage de but. Et me blablatait comme ça qu'il *und* copine Emma assisteraient au concert des Stiff Dylans.

Le Transalpin arbore l'air perplexe. Nonobstant, il me déclare ce que voici :

– Viens, moi t'emmener pour un café.

En café

Le ridicule conjugué stupidité prend possession de ma personne. Je file telle la bise en service pipi et Cie, en vue de m'appliquer la tartine. Curieux, en compagnie de la Marrade, la souvenance d'être détartinée ne me frappait pas. Je passe donc à la phase gloss, assorti mascara. Nonobstant, couic ne peut être fait au chapitre uniforme. Pourvu que je ne croise aucune accointance.

 Je fais partager au Transalpin les joies de l'échelle des trucs et

228

des machins, version germaine, qui provoque son esbaudissement, mais je doute qu'il percute.

En cambuse

Oh, Notre Seigneur, je subis l'interrogatoire en règle de la part de l'autorité parentale. « Où étais-tu fourrée ? Bla, bla, bla, le cours se termine à quatre heures. Je te ferais dire qu'il est huit heures. Quel usage fis-tu des quatre heures entre ? »

Je commets l'erreur de blablater ce que voici au père de famille :

– Vati, je ne suis pas la bambine.

La remarque enclenche aussitôt le déluge de divagation paternelle style :

– Tu peux répéter. Tu n'es pas une enfant, tu es le suppôt de Satan.

En chambre

22 h 30 Je vous le déclare sans ambages, bibi n'est pas l'unique suppôt de Satan de la famille. Le débile profond (mon Vati) a régalé ma sœurette (plus connue sous le blaze de petit suppôt de Satan) du souvenir de pêche *le sehr riant*, qui n'est autre que le poisson empaillé *mit* bouton qui, actionné, engendre la gigue de bar du susdit au son de *On m'appelle le pilier de bar* à bouche que veux-tu.

22 h 50 Libby « l'aibe ». Le poisson acquiert illico le statut de nouveau meilleur poteau d'icelle. Or donc par le fait, le nouveau meilleur poteau d'icelle sommeille toujours en paddock de mézigue.

22 h 52 Libbounette en écrase sévère, mais non votre serviteuse pour cause de nageoire en pif.

23 h 00 Par ailleurs, quelqu'un peut m'expliquer au juste *warum* la gosse porte la botte en caoutchouc ?

23 h 05 N'en jetez plus, le patio est plein. Angus ramène sa framboise et tente le saut, en vue de rejoindre la cantonade.

23 h 12 En obligation de sortie de paddock afin de le hisser. Le félidé s'est déjà pris la double rasade de collision *mit* la coiffeuse et se trouve actuellement en corbeille à *papieren*. Je ne vous raconte pas la joie de première allégresse de mézigue quand il aura recouvré l'usage de la queue.

23 h 20 Conséquemment, tout ce moche monde est installé confo : Libby, M. Poisson, Angus, la boîte de thon (l'encas de M. Poisson) *und* bibi, accrochée tel le croc au demi-centimètre de paddock restant.

23 h 28 Nonobstant, la béatitude m'habite, car j'ai le Sublimo en guise de gus de compagnie ! *Yes, yes und* tierce *yes !* Ou plutôt *si, si und* tiercio *si*, comme il me faut dégoiser dorénavant.

23 h 30 Attendez que je narre l'épisode M. Poisson au Transalpin quand il viendra me chercher demain à la grille du Stalag 14. Je mettrais ma paluche à la scie sauteuse qu'il tombe en hilarité de première hilaritio.

23 h 35   Si ça se trouve, je lui épargne l'affaire poisson, étant octroyé qu'il ne s'est pas, à proprement blablater, fendu la poire à l'évocation de l'échelle des trucs et des machins, version germaine.

23 h 40   Tel ne fut pas le cas de la Marrade qui trouva la trouvaille germaine désopilogène.

23 h 45   Comment l'expert ose-t-il sous-esgourder que je suis la *fräulien* effrontée ? Si quelqu'un méritait l'appellation, c'est bien sézigue. Sans compter qu'à l'ouïr, c'est moi qui me serais jetée sur sa personne, alors que je vous ferais discourir que c'est lui qui quémanda le *rummachen*. De toutes les manières, tais-toi cervelet. Dave la prétendue Marrade ne figure pas au nombre de mes pensées.

Minuit   À mon avis perso, Scooterino ressent l'embryon de jalousie à l'endroit de la Marrade. Hi ! Hi ! Je suis la Super-Coquine attrape-garçons.

Minuit trente   Oh, Notre Seigneur, j'ai mis M. Poisson en marche par le truchement de l'inadvertance. Sentir l'animal vertébré aquatique frétiller dans mon lit au son de la ritournelle est plus révoltant que la révolte. À cette micheline-là, jamais je ne trouverai le sommeil. On se croirait ni plus ni moins que dans le métro… Zzzzzzzzzzzzzzzz.

Réveil, la liesse à la boutonnière, pour cause de Marrade me demandant en songe l'autorisation d'un *rummachen unterhalb der* ma taille. Hi ! Hi !

Non que je souhaite que le gus passe à la pratique.

L'incident pulpitude de babine dont je fus victime est de l'ordre du réflexe automatique, tel que la montée de salive à la pensée du citron. Subséquemment, si le quidam semble limite sur le point du bécot, la lippe de la fille prend les devants.

C'est biologique.

Pas de quoi se mettre la rate à l'ébullition.

16 h 10 Je n'en crois pas mes talons !

La Nouillasse me chope en sortie de service pipi et Cie, le Top Gang s'étant déjà trissé pour cause de rencard de bibi *mit* Scooterino à la grille.

Miss Non-Front :

– Va chercher tes affaires de hockey. Tu es volontaire pour un entraînement supplémentaire. Mlle Stamp est très contente de toi.

Moi :

– Mauvaise pioche, je me carapate en vue de retrouver mon gus de compagnie en lieu et place du volontariat. Par le fait, le connais-tu ? Il est Sublimo de son état.

La Nouillasse prenant position devant ma personne :

– Si tu tiens à la vie, va te changer *fissa* et sors sur le terrain.

Popo. Je piquerais bien le sprint, mais elle ne manquerait pas de me cafter et je me retrouverais convoquée en cambuse éléphantine (le bureau de Fil-de-Fer) en vue d'un battage à décès par l'entremise du centuple menton.

J'emboîte le pas lourd à la nazillonne.

La fille est dépourvue de popotin.

La Mère Stamp en croisement de nozigue en couloir :

– Je suis très fière de vous, Georgia. Et c'est très gentil de votre part, Lindsay, d'encourager les plus jeunes. J'en ferai part à notre directrice. Ne plus vous savoir en retenue est un changement agréable, Georgia. Persévérez.

Balivernes.

Sur ces moches paroles, l'enseignante réintègre son bureau.

La Nouillasse me décoche l'œillade, accompagnée du sourire chocottogène. Comment Super-Canon parvient-il à la bécoter ? L'expérience doit s'apparenter au bécot de pieuvre hybridée mante religieuse. Beurk.

Dix minutes après En obligation de galoper autour du terrain de hockey par la Nouillasse.

Icelle :

– Que ceci te serve de leçon, Nicolson. Ainsi tu sauras que la vie peut être dure si tu me contraries. Après quatre tours, tu pourras rentrer. Je te surveille.

Mézigue :

– Massimo va m'attendre.

– Dans ce cas, tu ferais bien de courir plus vite que le vent, n'est-ce pas ?

Sur ces hideuses paroles, la fille file en vestiaire. Je la zieute me zieuter par la vitre.

Vingt minutes après Notre *Gott en Himmel*, je suis épuisée à force de rebond de nunga-nunga de-ci *und* de-là pour cause de défaut de soutif spécial exercice physique. Mes quatre tours enfilés, je me dégobille en vestiaire, la guibole plus flasque que le mou. Je ne vous raconte pas le taux de calorifère. Petite douche de derrière les fagots, mâtinée gloss et confrères en perspective, suivi de carapatage en vitesse et en vue de rejoindre mon gus de compagnie.

Trente secondes après   La lourde est fermée !

Cinq minutes après Je n'en crois pas mes poignets. C'est la soirée quartier libre du Père Atwood et il est le seulabre à posséder la clef.

À tous les ramponneaux, ce n'est pas. Je mettrais ma paluche à l'égoïne que le gardien irascible me fait bisquer exprès. Il rôde sans doute derrière le premier buisson, en proie à la marrade.

Par ailleurs et par le fait, où est passée la Nouillasse ?

Résultat des courses, obligée de faire l'impasse sur la vêture et de rentrer en cambuse et en survêt', le faciès plus vermillon que le carmin. Je me demande à quelle réflexion Scooterino est rendu *und* s'il est toujours à la grille. En un sens, je préférerais qu'il ait déserté car je sais ce que le gus se dégoiserait en voyant ma bobine. Ce que voici : « Une supposition que j'aie voulu la tomate en guise de copine, une certitude que j'aurais commandé l'exemplaire. »

J'émerge à peine du bâtiment scolaire quand j'avise la Nouillasse enfourcher le motocycle de Scooterino derrière sézigue et l'engin démarrer ! ! !

La fille n'est ni plus ni moins que la vache carabinée. Elle a tout manigancé. Non-Front me promit de me faire le derme, elle tient sa promesse.

Une seule solution fourrée à la raisonnabilité s'impose.

La trucider *und* boulotter la preuve de mon forfait.

En retour, plus rouge que la rubéfaction

Je signale à qui veut bien l'esgourder que j'ai le couvre-fesses en adhésion au popotin. Je crawle en plein cauchemar culottal au sens sale du terme.

Deux minutes après Pas plus tôt vomie en cambuse, je plonge la caboche en seau d'eau froide.

Une minute après Note qu'avec le bol qui me caractérise, je me coincerai ladite en seau. Sur ces entre-fêtes Scooterino ramènerait sa groseille à dos de scooter et me larguerait.

En cambuse

Devinez qui je trouve en cuisine ? La Marrade en train de poser le trucmuche en équilibre sur le pif de Libby ! De quoi ? Que se passe au juste ?

L'expert en décochement d'œillade à ma personne :

– Nom d'un moqueur polyglotte repenti. Tu arbores le fort fard.

Je tente la traversée de cuisine en mode hanche, hanche, secousse de perruque dans le dessein de lui détourner l'attention de mon faciès, mais la souffrance qui afflige mon popotin en raison de l'excès de galop m'oblige à renoncer au mode.

Mézigue, lui tournant l'échine, en absorption de verre d'eau :

– Que fricotes-tu dans les parages ?

– Je suis venu apporter la friandise à Angus, mais Libby en a boulotté la quasi-totalité. Note, c'est l'intention qui compte.

J'opère la volte-face, provoquant la ci-devant remarque de la Marrade :

– Plus rouge que tézigue, tu décèdes.

Départ précipité en salle de bains.

La Marrade n'a pas tort. J'ai la trombine affichant l'aspect de la pustulette en germination géante.

Cinq minutes après Plongeon preste de caboche en eau givrée *und* séchage de perruque conférant, je l'espère, à l'ensemble le style ébouriffé quoique singulièrement séduisant (du moins je l'espère). Rapide gloss, suivi mascara, ne voulant pas m'attarder en QG de la tartine, au cas où la Marrade déciderait de se faire la mallette. Je suppute qu'il est venu me présenter l'excuse pour son abominable comportement au cours de l'incident *rummachen*.

De retour en cuisine

Deux minutes après Mézigue à l'expert qui se fait tresser la perruque par Libby :

– Je subodore que tu es venu t'excuser pour le désastre *rummachen*.

– *Nein*.

La réponse me plonge en hilaritude, mais le gus n'en a pas terminé.

– Écoute, Georgia, je voulais te dégoiser que…

Mutti choisit précisément ce moment pour pénétrer en cuisine, telle la mère de famille, la sornette à la commissure.

Je précise qu'elle est en redressement de nunga-nungas *und* secousse de perruque. Ne me dégoisez pas qu'elle imagine la Marrade captivé par la femme « plus blette » ?

Mutti :

– Dave, veux-tu rester dîner ? Ce serait cool que tu traînes un peu avec nous.

Ce serait cool que tu traînes un peu avec nous ? Dans quel dessein s'exprime-t-elle, telle la ridicule ? Oh, ne bougez pas, je crois que j'ai la réponse.

La Marrade :

– Non, merci, je crains de devoir me trisser à dos de chameau véloce. Des gens à zieuter, des vieux à dérober, ce genre de trucmuches.

Sur ces moches paroles, l'expert lève séant, Libbounette accrochée à son cou, telle l'arapède bambine. Le gus met la marche avant comme s'il était plus normal que la normalité d'avoir la bambine en guise de collier.

Je ne vous raconte pas la poilade de l'enfant.

Libby :

– J'aibe mon Daaaaaaaaaaaaaaaaaave.

Nom d'un accenteur alpin à combustion. La gosse a pris sa carte du fan-club de la Marrade !

J'accompagne sézigue au portillon, en tentant de le libérer de son sautoir en Libby. La tentative est tout juste couronnée de succès quand Scooterino déboule sur zone à dos de scooter. Le Transalpin retire le casque et nous décoche l'œillade. Si ça se trouve, il est hypnotisé par ma face. Je vous ferais blablater qu'elle affiche toujours une température supérieure aux normales saisonnières. J'ébauche la secousse de perruque, mais elle se solde grosso modo par l'adhésion totale d'icelle au cuir chevelu.

La Marrade :

– *Ciao*, Massimo.

Le Transalpin :

– *Ciao*, mon pote.

Permettez que je doute de la dimension pote de la chose.

L'expert en poilade se carapate à la vitesse du son et Libby en profite pour creuser le sillon en haie des Porte-à-Côté. La gosse adore squatter la niche des Frères Dugenou en compagnie d'iceux *und* Gordy. Mais l'heure n'est pas au souci de cette nature.

Scooterino en légère contrariété :

– Pourquoi toi pas m'attendre ?

Mézigue en débit accéléré :

– Ben, Lindsay la Nouillasse m'a obligée au hockey supplémentaire *und* conséquemment, j'ai galopé en rond à la mode siphonnée sous traitement siphonnant, tel le hamster en survêt' *und* la lourde était fermée à clef *und* je t'ai zieuté démarrer *mit* sézigue à l'arrière.

Le Transalpin :

– Aaaaaaaah. Elle dire toi rentrer à la maison et demander moi la raccompagner.

Je n'en crois pas mes nunga-nungas ! ! ! La fille est plus immonde que l'immondice !

Scooterino affiche l'embryon de risette. Le gus est décidément extra crousti-fondant.

Lui :

– Dave visiter toi pour se battre encore ?

La question déclenche mon esbaudissement.

Moi :

– *Le négatif,* il est venu apporter la friandise à Angus, mais Libby l'a boulottée.

Scooterino, en tendant l'abattis :

– Viens là, Miss Georgia.

Aussitôt demandé, aussitôt lovée en abattis.

Sézigue :

– Toi être… euh… très glissante.

Par le fait, le gus est dans le vrai. Une supposition

238

qu'il me serre *mit* le surplus de force, une certitude que je lui jaillis des paluches tel le savon mouillé.

Le gus passe alors en séance bécot. La susdite se classe franco en catégorie miam, puissance miam, avec arrêt au numéro quatre de l'échelle des trucs et des machins, assorti lichette de numéro cinq virtuel.

C'est précisément le moment que mon Vati choisit pour ramener son cassis en clownomobile.

Je ne vous raconte pas la vitesse à laquelle je mets fin au bécot et procède au bond de saumon en vue de m'éloigner de Scooterino, taille du bond sous-esgourdant qu'icelui est atteint de la peste.

Mézigue au Sublimo :

– Vite, sauve-toi. Mon Vati débarque. Fuis tant que tu peux sinon il risque de te montrer son fute en cuir.

Trop tard. Le père de famille descend de « véhicule » et s'avance vers nozigue, toute barbe dehors. Plus gênatoire, tu trépasses. À tous les coups, l'homme va dégoiser le trucmuche. J'en mettrais ma paluche au sécateur, alors que j'ai enjoint sézigue de ne jamais s'adresser à ma personne en présence d'autrui.

Vati :

– Bonsoir tout le monde. Tu es Massimo, n'est-ce pas ? Tu n'entres pas ?

Oh noooooooooooooon.

Mézigue :

– *Le négatif*, Massimo est sur le départ. Il a répèt'.

Le Transalpin me décoche le zieutage auquel je réponds par l'ouverture de mirette taille soucoupe, assortie de ce questionnement :

– N'est-ce pas ?

Sézigue, percutant :

– Ah, oui, *ciao* monsieur Nicolson. *Grazie*, mais moi devoir partir. Les Stiff Dylans font le concert ce week-end.

Vati :

– Excellente nouvelle. Possible que je vienne vous écouter. Je vous montrerai comment je bouge sur une piste.

L'homme aurait-il disjoncté ?

Scooterino allume son motocycle, se penche sur ma personne et m'octroie le bécot.

Sézigue :

– À samedi. Toi... comment dites-vous déjà ? Toi déjà me manquer.

Je tente la rentrée en cambuse par l'intercession de la déambulation farcie au max de dignitosité, mais arrivée devant la lourde, j'esgourde Vati vociférer à Mutti ce que voici :

– Georgia a embrassé un Apollon italien.

Plus révoltant, tu trépasses.

Je me sens plus malpropre que la malpropreté.

Und kackmist, par le fait.

En paddock

Je me demande ce que la Marrade était en volonté de me blablater. L'expert provoque sans conteste possible mon hilaritude. La séance de nattes que lui infligea Libby était *sehr sehr le riant*.

Bref, je lui poserai l'interrogation en concert.

Une minute après Si l'opportunité se présente. Étant octroyé qu'il a toutes les chances d'être en compagnie de sa copine.

Ce qui ne pose pas le problème.

Du tout.

Deux minutes après Je sais qu'Emma dégage la sympathie *und* ainsi de suite, nonobstant l'attaque de nerfs dont elle fut victime, suite au crachat qu'Angus lui octroya par le truchement de l'inadvertance, penchait franchement vers le ridicule. Et classe d'emblée la fille dans la catégorie cruche.

De toutes les manières, j'ai pléthore de trucmuches *sehr* plus importants à me soucier. Si la Marrade est en volonté de sortir avec la cruche, c'est son droit. Mais la question brûlante est la ci-devant : par la culotte de Richard Cœur de Lion, quelle vêture revêtir pour le concert ?

Cinq minutes après La gent féminine dans son ensemble aura les mirettes fixées sur mézigue car a) je suis la fiancée officielle d'un Sublimo et b) je suis la ballerine polymorphe *und* la boute-en-tortillard de première fraîcheur.

DU RIFIFI EN AUBE

Samedi 17 septembre

8 h 30 Début des préparatifs dans le dessein d'incarner la fiancée officielle d'un Sublimo.
Und possiblement la ballerine de la rock star.
Nettoyage *und* tonification du derme.
Exécutés.
Masque de faciès.
Exécuté.
Masque oculaire à base de cucurbitacée.
Exécuté.
Désherbage.
Je veux, mon neveu.
Répète du mouvement pulpatoire.
Exécutée.

Dej' Deux sandwichs garnis à la confiote en vue de m'octroyer un max d'énergie, mâtinée nutrition.
Hier en maths, la mère Œil-de-Lynx a demandé à Ellen *warum* elle boulottait le bonbec au fruit. Ce à quoi la potesse a répondu :

– C'est mon petit dej'.

Nazie Ire manqua de peu la crise de n'importe quoi, combinée spasme de nerf.

Icelle :

– Pouvez-vous me dire en quoi est-ce nourrissant ?

Ellen :

– Ben, à cause de, vous voyez, euh... le fruit ou quelque chose.

15 h 00 Répèt' de converse à fort taux d'envoûtement.

Exécutée.

(Note au QG du cervelet givré : ne pas aborder la blague hilaratoire à base de culotte, ni le *knutschen* total lèvre-lèvre contact maxi, ni la bête à gants, ni la corne).

18 h 00 À mon avis perso, je dégage le sublime à plein pif. Du moins je le cogite. Perruque *mit* ressort incorporé *und* nunga-nunga sous presque contrôle. Par ailleurs, j'ai revêtu le mascara spécial volumateur de cils qui m'allonge les susdits d'un mètre. Comme de bien esgourdé, le retirer relèvera de la mission impossible. Mais dans l'entre-temps, j'aurai tous les atouts de l'attrape-garçons en paluche.

18 h 30 Si je suis toujours mascarée lundi, la Nouillasse sautera sur l'occase pour m'attaquer à la loupiote à souder ou me désigner de corvée de jardinage en compagnie d'Elvis le reliquat de mon existence.

À tous les ramponneaux, elle se pointera ce soir, se dandinant de-ci *und* de-là, telle la niaise.

Une supposition que j'aie l'opportunité de mettre en garde Super-Canon au rayon Guiboles de Phasme, une certitude que je ne la rate pas. Dans ce dessein, je devrai faire preuve de la ruse, assortie subtilitude.

Je lui arracherais bien sa stupide caboche de pieuvre en vue de gagner le temps, mais à tous les coups, la mouche du coche zélée me cafterait à la SPA.

En partance de cambuse

19 h 15 Oncle Eddie et Vati sont en séance brico-lage sur la clownomobile. La paire exhibe le T-shirt orné de la photo d'oncle Eddie en costume d'effeuilleur *mit* cette mention : « Il ose crânement aller où aucun autre homme n'est crânement allé auparavant. »

Nom d'un chevalier aboyeur pongiste.

En Honey Club

20 h 30 Vérif' preste en QG de la tartine.
Zieutage en miroir. Hummmmmmmmm. *Le bonjour,* Super-Coquine. Grrrrrrr.

Aspersion véloce de sent-bon transalpin, rapporté du Pays-de-la-Mozzarella-et-Tomates-à-la par mon gus de compagnie originaire de la susdite contrée, qui se trouve être à droite de la Grande-Britonnie sur le plan du monde. Possiblement. Et mon public n'attend plus que mézigue.

En vicinalité de bar

Sven et Rosie se sont surpassés. Le thème choisi par leurzigue est fourrure *und* fourrure *mit* pincée de four-rure. Êtes-vous au jus que la combinaison en fourrure factice assortie est disponible sur le marché ? En mauve ? Ben, à présent, vous l'êtes.

Je souffre d'une légère frisure de nerfs. Je vous signale par le fait que la soirée constitue ma première sortie officielle en tant que fiancée officielle d'un Sublimo. Note, au rayon compagnie, j'ai le Top Gang.

Deux minutes après Nom d'un fuligule à dos blanc bourré d'humour. Je ne suis ni plus ni moins qu'en tenue de chandelle, étant octroyé que le reliquat de mes potesses fricote avec son gus de compagnie. Même Ellen. Note, icelle est peut-être la dernière à le savoir… ou quelque chose.

Rom und Jules (plus connus sous le blaze de Miss Frangette et Craquos) sont vautrés l'un sur l'autre, telle la varicelle. C'est plutôt chou, par le fait. À condition d'affectionner ce genre de choses.

Pas trace de la Marrade ni de sa copine. Ce qui ne pose pas le problème. Le « couple » a dû se vomir quelque part ailleurs. Allez savoir.

Si ça se trouve, ils sont chez Emma.

Vous zieutez ce que je veux dégoiser. Occupés à batifoler et ainsi de suite.

Le détour par le service pipi et Cie semble à nouveau s'imposer à moi.

En QG de la tartine

Trop bien, Lindsay la Nouillasse et Monica la Trop Consternante squattent les miroirs. J'ignore total *warum* elles prennent cette peine. En vue d'atténuer le poulpoïde de son faciès, la Nouillasse ne peut qu'en passer par la transplantation têtale.

La certitude certaine est que je me refuse à procéder à la pissotation en cabinet sous leur zieutage.

De retour en club

Mézigue à Rosie en pause bécot :
– Je me demande où est Scooterino.
Roro :
– *Warum* ne te vomis-tu pas en coulisses en ta qualité de copine pour lui dégoiser ce que voici : « bonne chance » ou va savoir ce qu'il convient de blablater à la rock star ? Si ça se trouve c'est « bonne guitare » ou « bon fute ». Je l'ignore, mais file lui délivrer le message.

Sur ces entre-fêtes, les Stiff Dylans déboulent en club, armés de la gratte. Le concert est à deux didis de commencer. Dès leur apparition, ils sont entourés de la fille, ou plutôt la « gourgandine », comme diraient certaines.

Deux minutes après Le musico signe l'autographe. Honnêtement ! Pour de vrai. J'avise le Sublimo distribuant le parafe de-ci *und* de-là, garni risette *und* converse à l'admiratrice. J'hésite à aller quérir mon manteau *und* refaire mon entrée comme si je venais de débarquer sur zone. Il suffirait de me glisser en extérieur telle la Sioux et... C'est là que le Transalpin lève la mirette et me discerne. Il agite la paluche et amorce le mouvement en direction de mézigue. Hourra !

Nom d'un puffin des Anglais atrabilaire. Je ne vous raconte pas le costume. Je mettrais mon cigare au poêle à bois qu'il en fit l'acquisition au Pays-de-la-Mozzarella-et-Tomates-à-la. Rendu devant ma personne, Scooterino me prend en abattis et m'octroie le bécot. Tout un chacun a la mirette tournée vers nozigue. Je sens le fard s'emparer de ma bajoue. Le bécot en public ne m'est pas familier. Sézigue en revanche s'en bat le globe oculaire avec une patte de moustique que la foule nous entoure.

Lui *mit* zieutage direct :

– *Ciao cara,* moi te voir à la pause. Et ensuite, après concert, nous aller quelque part pour être ensemble. D'accord ?

Nom d'un quiscale bronzé bricoleur. Il est un peu tôt pour le couvre-fesses en pâmoison. Nonobstant, je le revêts.

Une heure après L'ambiance est plus survoltée que le volt. Les Stiff Dylans nous régalent de la session craquante et Super-Canon monte sur scène fredonner de concert *mit* Scooterino *Ne me réveille pas avant de partir. Pars !* Je me demande si Super-Canon n'aurait pas griffonné la ritournelle pour Tête de Pieuvre.

Perso, j'aurais.

La fille le dévore du zieutage devant la scène.

Moi à Jas :

– Plus nulle, tu décèdes.

Mais Miss Frangette est trop occupée à folâtrer *mit* Craquos pour me répondre.

La Nouillasse me décoche l'œillade mortelle depuis que j'ai mis l'arpion en club, mais le susdit n'est pas le Stalag 14 *und* je suis en bande. *Und* par ailleurs, j'ai le Sublimo en guise de gus de compagnie.

Ce qui ne manque pas d'étrangeté par le fait. La tripotée de filles total inconnues au bataillon ne cesse de venir trouver mézigue, en vue de me poser la ci-devant interrogation :

– Ooooooooooh, il est trop crousti, c'est comment de sortir avec sézigue ? Quelle musique affectionne-t-il ? Il est de quel signe ? Etc.

Qui suis-je au juste ? Sa secrétaire journalistique ?

Je n'ai révélé à aucune que je suis ballerine de rock star, par le fait.

Voilà qui ressemble à d'accoutumée. Le Top Gang dans toute sa splendeur, régalant l'assistante d'une « matelote viking » au son d'*Ultraviolet*, fredonné par les Stiff Dylans. L'accessoire nous faisant défaut, toute une chacune recourt à la pagaie improvisée et ainsi de suite. Je ne vous narre pas la poilade.

J'agite la susdite (factice) à l'intention de Scooterino, mais il ne me retourne pas la pareille. Je suppute qu'il rencontre la difficulté, car il joue de la gratte. Nonobstant, le gus me zieute. J'aime à croire en mode admiratif.

Deux minutes après Nouveau morceau véloce des Stiff Dylans. La cantonade ne se tient plus de démence.

Débarquement de la Marrade ! Je ne remarque sézigue qu'une fois icelui en proche vicinalité de ma personne, me dégoisant ce que voici :

– Que le twist commence !

Aussitôt dit, aussitôt twisté. La Marrade se lance dans une folle et véloce interprétation de la gigue, requérant le baisser de sa personne jusqu'au sol, suivi de la remontée aussi sec. L'affaire est total marteau, mais poilogène en diable.

Sézigue en mode vociférateire à mézigue :

– Allez, Super-Coquine. Descends tézigue !

Moi :

– Pas question. Demande à ta copine de faire *la idiote*.

– Elle est aux abonnés absents. Sois *la idiote* de remplacement. Allez, tu en décèdes d'envie !

Sven *und* Rosie *und* le Top Gang dans son entier se joignent au quadrille. Subséquemment, je m'y résous. Quelle tranche de divertissement !

Dix minutes après J'ai plus chaud que le quidam chauffé sous traitement chauffant. C'est dégoiser le chaud. Les Stiff Dylans amorcent la pause et la Marrade s'en est allé nous chercher le breuvage.

Deux minutes après Je suis victime de l'exténuation hors normes qui m'oblige à poser séant en rotule de Roro, séziguemême en rotule de Sven, ce qui nous totalise au final le sandwich d'articulations.

Mézigue :

– Tu as le genou méga confo, ma petite potesse.

Rosie :

– Aurais-tu viré homosexualiste ?

Je suis limite au bord de lui assener le pain quand Scooterino ramène sa myrtille et me tient ce langage :

– Georgia, toi venir avec moi dehors.

Roro :

– Oh, oh.

Sur ces entre-fêtes, la Marrade est de retour, la boisson à la mimine.

Lui, me tendant la susdite, à l'adresse du Transalpin :

– Méga top ! Extra session, mon pote.

Scooterino amorce la minirisette et lui pose la ci-devant interrogation :

– Toi aimer danser avec ma copine… mon pote ?

La Marrade :

– Nom d'une ammomane élégante à traction avant. Ne me blablate pas qu'on est rendus à la case rififi en aube ?

Scooterino en perplexité :

– Rififi ?

L'expert pose alors son breuvage et se pavane de-ci

und de-là, régalant le Transalpin de son imitation de Mohammed Ali, croisé bouffon.

Icelui en vocifération :

– « Je pique comme l'abeille et danse comme le papillon », blablatait Mohammed. Bourre-pif ! Bourre-pif ! Lève les coudes ! Lève les coudes !

Il faut le dégoiser, le gus est total siphonné.

L'hilaritude se saisit de ma personne, comme de tout un chacun. Sauf Scooterino.

Sézigue à la Marrade :

– Je vois. D'accord. Nous régler affaire de la sorte. Moi t'attendre dehors. Mon pote.

La Marrade :

– Je regrette, mais je ne suis pas homosexualiste.

Mais Scooterino me refile son vestiaire et enclenche la marche avant vers la lourde.

Assurément, le Transalpin plaisante.

La Marrade me décoche l'œillade, conjuguée haussement d'épaules, et se vomit en extérieur à son tour. Nom d'un grèbe castagneux soupe au lait.

Jas à ma personne :

– Je t'avais prévenue que ton rosissement popotal t'attirerait l'ennui… Tu es contente, maintenant ?

De quoi ? De quoi ?

Je dansai le twist, point et virgule. Sans compter que Scooterino est en totale ignorance de l'épisode numéro cinq virtuel en futaie, survenu par le truchement de l'inadvertance. J'opère la sortie en extérieur.

Par le fait, la presque totalité de la cantonade nous emboîte le pas.

En extérieur

Scooterino à la Marrade :

– Réglons l'affaire entre hommes.

Ne me dégoisez pas que leurzigue vont en venir aux paluches pour mézigue ?

J'aurais dû apprécier. Nonobstant…

Roro à bibi :

– On se croirait pile dans *Rom und Jules*, pour peu que le gus ait revêtu le collant, je me goure ou je me goure ? Ne devrions-nous pas leur dégotter l'exemplaire ?

Mézigue :

– Esgourdez, esgourdez, les gus. Ceci est total ridicule. *Warum* vous ne…

Scooterino darde l'œillade à la Marrade, la mimine levée, telle qu'en film, et entreprend de décrire le cercle autour de l'expert au cri de :

– Vas-y !

Jasounette à mézigue :

– Georgia, dégoise quelque chose ! Fais le trucmuche normal et raisonnable pour une fois !

Le positif, le positif, voici l'agissement idoine : faire montre de la maturosité.

Moi, m'interposant entre les pugilistes, la vocifération à la boutonnière :

– Cessez ! Cessez… Au nom de… la culotte !

Le Transalpin me décoche le zieutage, mais la Marrade choit sous le poids de l'hilaritude.

C'est alors que Roro entonne la ritournelle que voici :

– Les collines résonnent du chant des culottes ! Culottes que je revêtis pas loin du millier d'années !

Ritournelle reprise en chœur par l'ensemble du Top Gang.

Deux minutes après Tout un chacun s'en retourne d'où il vient, car l'occase de rififi s'est trissée à grands pas.

La Marrade est toujours en fente de poire.

Sézigue à Scooterino, la paluche tendue :

– Ce n'est que la blague, mon pote. Pas de quoi sortir ton sac à mimine.

Puis à ma personne :

– *Le bon nuit*, Gee.

Et il se trisse.

Je décoche la risette à Scooterino, mais icelui ne me la retourne pas. Le gus me zieute, la mirette fourrée à la tristessitude grand format.

Romulus *und* Remus.

Und pipi.

Und krappe.

J'amorce l'avancée vers sézigue, mais il me tourne l'échine et disparaît dans la noirceur.

Deux minutes après Mon Sublimo a chopé le chiffon.

Je dégoiserais même plus, il crève le plafond de l'échelle de la chiffonnade.

Mais, si ça se trouve, le chiffon se résumera à la nuitée et plus couic n'y paraîtra demain.

Je pourrais m'en battre le globe oculaire avec une patte de libellule si j'avais joui du statut de fiancée d'un Sublimo plus d'un mois.

Mois durant lequel je ne zieutai Scooterino quasi pas.

M'aurait-il larguée pour de réel ?

Une minute après Juste pour cause de twist *mit* la Marrade.

Und rixe germaine *mit* le susmentionné.

Und bécot par le truchement de l'inadvertance en futaie du rosissement popotal.

Ce que le Sublimo ignore total, de toutes les manières.

Deux minutes après Oh, *le excellent,* me voilà de retour à la case égouttoir de l'amuuuuuuuuur, sans le moindre gâteau fourré à.

Plus seulabre que la solitude.

Rebelote.

Culotte.

Loi n° 49-956 du 16 juillet 1949
sur les publications destinées à la jeunesse
Maquette : Anne Catherine Boudet
P.A.O. : Françoise Pham
Imprimé en Italie par L.E.G.O. Spa-Levis (TN)
Dépôt légal : mars 2009
N° d'édition : 164458
ISBN 978-2-07-062393-8